Nicolas Paquin

Combattre dans l'ombre

TOME 2 de la série
Les volontaires

ROMAN

Éditions du Phœnix

© 2015 Éditions du Phœnix
Dépôt légal, 2015
Imprimé au Canada

Illustration de la couverture : Sarah Chamaillard
Graphisme : Hélène Meunier
Révision linguistique : Hélène Bard
Directrice de collection : Élie Rondeau

Éditions du Phœnix

206, rue Laurier
L'Île-Bizard (Montréal)
(Québec) Canada H9C 2W9
Tél.: 514 696-7381   Téléc.: 514 696-7685
www.editionsduphœnix.com

Catalogage avant publication de Bibliothèque et Archives natio-
nales du Québec et Bibliothèque et Archives Canada

Paquin, Nicolas, 1977-

  Paquin, Nicolas, 1977-

  Combattre dans l'ombre

  (Les volontaires ; 2)
  (Ados)
  Pour les jeunes.

  ISBN 978-2-924253-44-1

  1. Service militaire volontaire - Canada - Romans, nouvelles,
etc. pour la jeunesse. 2. Guerre mondiale, 1939-1945 -
Romans, nouvelles, etc. pour la jeunesse. I. Titre. II.
Collection : Ados (Éditions du Phœnix).

PS8631.A699C65 2015   jC843'.6 C2015-941613-2
PS9631.A699C65 2015

Conseil des Arts   Canada Council
du Canada   for the Arts

Nous remercions la SODEC de l'aide accordée à notre programme
de publication. Nous reconnaissons l'aide financière du gouvernement du Canada par l'entremise du Fonds du livre du Canada pour
nos activités d'édition à notre programme de publication.

Nous remercions le Conseil des arts du Canada de son soutien. L'an
dernier, le Conseil a investi 154 millions de dollars pour mettre de l'art
dans la vie des Canadiennes et des Canadiens de tout le pays.

We acknowledge the support of the Canada Council for the Arts,
which last year invested $154 million to bring the arts to Canadians
throughout the country.

Nicolas Paquin

Combattre
dans l'ombre

À Zacharie,
Bonne lecture des
aventures d'Henri en
aventures occupée !
Nicolas

Éditions du Phœnix

À Jacques Nadeau

*Jacques Nadeau est un vétéran
des Fusiliers Mont-Royal.*

*À dix-sept ans, il s'est enrôlé volontairement
pour fuir la pauvreté de Montréal.*

*Le dix-neuf août 1942, jour du raid de Dieppe,
Jacques a été l'un des 1946 Canadiens
faits prisonniers par les Allemands.*

*Ce jour-là, il a aussi perdu son meilleur ami,
le soldat Robert Boulanger.*

*Chaque fois que j'ai eu le privilège
de rencontrer Jacques, il m'a raconté sa guerre,
sa captivité et ses tentatives d'évasion,
comme si l'adolescent qu'il était jadis
revivait ces éprouvantes heures.*

Merci, Jacques !

Mise en situation

En août 1942, l'Allemagne d'Hitler domine l'Europe et occupe militairement le territoire de la France. Le dix-neuf de ce mois, les Alliés tentent un premier débarquement de soldats sur la plage de Dieppe.

L'opération Jubilee est une catastrophe.

Henri Léveillée est un jeune aviateur membre du SOE[1], une ramification des services secrets britanniques. Blessé à la hanche lors d'une attaque allemande, il a défié les consignes pour participer à l'opération Jubilee, mais il a dû se parachuter lorsqu'un obus de la défense contre-aérienne a touché son appareil. Il peut s'estimer heureux : l'avion de son meilleur ami, Timothée, a été abattu sans que le pilote puisse s'en éjecter.

---

1 SOE : Le Special Operations Executive, ou Direction des opérations spéciales, était un service d'espionnage qui soutenait les mouvements de résistance dans les pays occupés par l'Allemagne.

Henri se retrouve seul en territoire ennemi, loin de son ami Émile et de celle qu'il aime, Marguerite.

Sa seule chance de survie : rejoindre les résistants et combattre dans l'ombre.

PREMIÈRE PARTIE

Fuir l'ennemi

1

Territoire inconnu

Fleuve la Scie, près de Dieppe, France – le dix-neuf août 1942

Sur le bord du fleuve nommé la Scie, l'eau coule paisiblement, comme si la guerre n'avait pas lieu. Tout est calme. Les coups de feu, au loin, se sont tus. Dans les champs et les chemins de terre, nul n'entend les cris des officiers allemands qui, postés à Dieppe, comptent leurs prisonniers.

Non… dans cette campagne, nul ne perçoit les ordres qu'ils crachent dans un anglais difficilement intelligible. Nul n'entend les soldats québécois qui jurent entre leurs dents, se moquant de leurs vis-à-vis en habits militaires vert-de-gris. Et nul ne voit les regards provocateurs qu'ils leur jettent à la dérobée.

Il y a quelques heures, les Dieppois ont bien entendu quelques avions de chasse se tirer dessus dans les airs, mais la violence des combats au sol les ont empêchés d'y porter attention. Quelques citoyens téméraires ont même aperçu deux appareils alliés plonger et s'écraser dans les champs pour y exploser de façon foudroyante. Le feu a jailli, les débris sont montés vers le ciel, puis sont retombés dans le brasier. Mais comme tous les citoyens s'étaient cachés, effrayés par la bataille faisant rage autour, personne n'a remarqué, dans l'azur, un parachute qui se déployait au-dessus de la Scie.

Or, tout près de cette petite rivière gît maintenant la seule trace que la guerre ait laissée dans ce secteur : celle d'un jeune pilote blotti contre un bosquet, endormi, blessé.

— Tu crois qu'il est mort ? demande la voix cassée d'un adolescent.

— Non. Sa poitrine se soulève. Va toucher son cœur !

— Je n'ose pas.

— Tu n'es qu'un poltron, Louis. Moi, je te dis qu'il est encore vivant. Il doit s'être assoupi.

— Un soldat qui s'endormirait ici, tout seul ? Voyons ! En plus, tu as vu son uniforme ? Ce n'est pas un Allemand.

— C'est un Canadien.

— Comment est-il arrivé ici? Il n'est tout de même pas tombé du ciel!

— Ce que tu peux être bête! Pourquoi pas? Tu as entendu les avions nous survoler autant que moi! Il peut fort bien s'être parachuté.

Celle qui contredit avec entêtement le prénommé Louis est une fille qui n'a pas plus de seize ans. Alors qu'elle observe l'étrange visiteur, son visage montre qu'il s'agit d'une jeune femme mature et sûre d'elle. Ce soldat, couché sur la rive, détrempé, est fiévreux. Les voix l'ont dérangé; il reprend ses esprits, mais sentant une présence, il n'ouvre pas les yeux. Il se contente d'écouter, méfiant. Le garçon s'écrie alors :

— Regarde, il saigne!

— Ciel, c'est vrai! Vite, il faut l'aider!

— Il commence à faire nuit. Nous ne pouvons pas nous attarder.

— Mais nous ne pouvons pas le laisser ici non plus! proteste Marie.

— Je vais chercher des secours!

— Hé ! Petit froussard ! Reviens !

Les voix s'éloignent. *Manifestement, cette fille aussi a eu peur de rester avec moi,* pense Henri Léveillée, tout en essayant d'analyser son état et de se remémorer les derniers événements. Sa tête lui fait mal. Il a l'impression d'être vidé de toute énergie. Les images et les sensations lui reviennent en mémoire : son avion qui fait un vol plané, son saut en parachute, l'appareil de Tim qui explose au loin, celui de son adversaire revenu en déchargeant ses mitrailleuses. Puis, les branches de l'arbre, son corps plongé dans l'eau froide de ce cours d'eau… Et une terrible appréhension.

Tout cela est donc vrai. Le voilà maintenant seul en territoire inconnu, entouré d'ennemis armés. Peut-être est-il déjà recherché. Et Tim… Tim est mort !

Henri peine à se retourner. Le sang coule de sa blessure à la hanche et a imprégné sa combinaison. La douleur est vive ; il se sent faible. Autour de lui, le jour décline. Le couvert des arbres forme un étrange plafond de feuillage tournant sur lui-même. Il est étourdi. Pourtant, il ne peut rester là. Des adolescents l'ont vu. Qui sont-ils ? Vont-ils alerter l'ennemi ?

Il lui faut se cacher. Mais où ? D'abord, se relever, ensuite, on verra.

S'aidant de ses bras, le soldat canadien s'agrippe aux arbres et aux cailloux, avant de remonter le talus en titubant et de se diriger vers un chemin qui borde la rivière. Le souffle court, il prend un moment afin de considérer les alentours, clignant plusieurs fois des yeux pour éclaircir sa vision brouillée.

— C'est donc ça, la France, murmure-t-il en se décidant enfin à mettre le cap vers l'ouest où, non loin, il distingue un village. Il l'ignore encore, mais cette commune s'appelle Saint-Aubin-sur-Scie. *Allons, tout n'est pas perdu,* se dit-il, *la totalité des Français n'a pas juré fidélité à Adolf Hitler.*

Henri pourra sans doute trouver de l'aide. Après tout, il parle la langue du pays et, si la situation tournait mal, son revolver Smith & Wesson pourrait aussi parler pour lui. Cela devrait suffire. La démarche incertaine et saccadée en raison de la douleur, Henri débute sa progression. Les fleurs et le chant des grillons n'ont aucune influence sur son état d'âme, et tout le charme de la campagne de la Normandie ne peut le distraire. Avançant pas à pas, il garde les yeux fixés sur l'ombre grandissante de Saint-Aubin-sur-Scie.

Au bout de quelques mètres, le bruit d'un véhicule roulant à toute vitesse l'oblige à s'aplatir dans le fossé. Sur le chemin, une Kübelwagen conduite par des soldats roule en trombe. La langue germanique de ces hommes ne trompe pas sur leur origine : ils sont d'ailleurs des centaines à s'activer dans les parages. Henri se résigne à marcher du mieux qu'il le peut le long du fossé.

Il atteint enfin le village dont la silhouette se profile confusément dans la nuit maintenant tombée. Tout est noir, conformément aux exigences du couvre-feu des Allemands. Debout dans l'obscurité, devant l'inconnu, ne connaissant rien du territoire, blessé et vêtu d'un uniforme canadien, Henri s'avère une proie facile. Il en est parfaitement conscient. Pourtant, le village dort et, au cœur de ce silence profond, l'aviateur trouve le courage d'avancer encore un peu pour se diriger vers une maison qui borde la route, en retrait de la commune.

C'est alors que de lointains éclats de voix l'immobilisent. Ils proviennent d'une patrouille allemande. Le pilote ne peut rester à découvert.

16

Il se jette de nouveau précipitamment au sol, négligeant sa blessure qui absorbe le choc. Henri retient un juron entre ses dents.

Malgré tout, le voilà près d'une demeure. Il ne sait trop pourquoi, mais celle-ci lui inspire confiance. Accroupi, calculant ses pas et scrutant la pénombre à travers les foins, il progresse jusqu'au muret entourant la propriété, avant de l'escalader de son mieux, le visage crispé par l'élancement. Étirant sa jambe, qu'il fait passer par-dessus l'obstacle, il se laisse glisser le long de la pierre du mur pour s'accroupir aussitôt, immobile ; il écoute le silence. Autour de lui, une odeur de plants de tomates lui chatouille les narines. Il se redresse et se rend compte qu'il a atterri en plein milieu d'un potager. Ses yeux apprivoisent l'endroit, mais avant qu'il ne puisse repérer les alentours, il entend le cliquetis d'un chien de fusil qu'un doigt remonte.

— Le... levez les mains ! prononce une fille en robe claire.

Le tenant en joue, elle tente de maîtriser sa peur.

Quelle ironie : voilà à peine quelques heures qu'il a mis le pied en territoire ennemi, et sa première menace réelle n'est pas une compagnie de soldats SS armés jusqu'aux dents, mais le canon d'un vieux fusil de chasse tenu par une adolescente coiffée de tresses. Henri réprime un sourire et lève les mains vers le ciel.

Décidément, la guerre entraîne avec elle son lot de surprises !

2

Vous parlez français ?

Saint-Aubin-sur-Scie, France

— Allons, baisse cette arme, tu risques de faire une bêtise, dit Henri, d'une voix posée.

— Vous… vous êtes le soldat canadien que… mais… vous parlez français ?

— Bien sûr ! Mais, s'il te plaît, ce n'est pas le temps de discuter de ma connaissance des langues. Baisse cette carabine, petite. Je ne te veux aucun mal.

— D'abord, je ne suis pas petite. J'ai seize ans. Et puis, qu'est-ce qui me prouve que vous avez de bonnes intentions ?

Henri se rend compte que la jeune fille qui se tient devant lui est pratiquement de son âge. Elle lui paraît sympathique. D'ailleurs, sa voix lui semble familière. Il baisse les bras ; elle redresse brusquement le canon du fusil.

— Doucement ! Je m'appelle Henri Léveillée, sous-lieutenant d'aviation. Mon appareil s'est écrasé quelque part par là-bas.

Tandis qu'il gesticule, Henri tente de s'approcher de la villageoise afin de la désarmer, ignorant encore à quel camp elle appartient : nazi ou allié ? Impossible d'implorer son aide avant d'en avoir le cœur net. Mais la jeune fille demeure elle aussi sur ses gardes et remonte encore le canon de son arme jusqu'au menton d'Henri.

— Ne… Je vous ai ordonné de ne pas bouger ! Et relevez vos bras !

Rendu plus alerte par la menace, l'aviateur essaie de détendre l'atmosphère.

— Voyons, on peut discuter. Et on peut se tutoyer, on a pratiquement le même âge.

— Peuh ! Qu'est-ce que c'est que cette histoire, encore ?

— Tu comptes me tenir en joue jusqu'à ce que les Allemands viennent à ta rescousse ?

— Jusqu'à ce que les gens assis dans la maison m'entendent et me rejoignent !

— Si tu continues à parler aussi fort, nous risquons d'être repérés par d'autres personnes que celles dont tu fais mention !

— C'est vous qui parlez trop fort !

— Allons, je passe mon temps à baisser le ton. As-tu peur des Allemands ?

— Qu'est-ce qui me fait dire que vous n'en êtes pas un, Allemand ? Costumé en Canadien ? Après tout, vous avez un drôle d'accent.

— Je commence à comprendre que ni toi ni moi n'aimons les Boches. Tu permets que je sorte du potager ? J'aurais besoin d'aide.

Tout en parlant, Henri s'est approché de la Française. Les deux jeunes gens sont maintenant assez près l'un de l'autre pour distinguer leurs traits. La fille, toujours méfiante, décode enfin la douleur sur le visage de Léveillée. Elle pointe sa hanche. Dans la pénombre, la tache rouge foncé sur l'uniforme du pilote trahit sa blessure.

— Comment vous êtes-vous retrouvé dans cet état ?

— Une plaie faite à l'aéroport, à Tangmere, en Angleterre, qui s'est remise à saigner après mon saut en parachute. Elle fait horriblement mal. Et si tu voulais juste arrêter de braquer ton arme sur le bout de mon nez, je pourrais sans doute m'éviter un autre trou du même genre.

Apparemment convaincue par cette dernière phrase, le visage de la fille s'adoucit. Elle agrippe Henri par le poignet pour le tirer vers la maison.

— Hé! Moins vite, j'ai mal.

— Parlez moins fort, nous devrions déjà tous être rentrés. Vous auriez pu le dire plus tôt, que vous aviez été blessé à Tangmere!

— Oui, mais quand on est menacé par une fillette armée…

— Oh! Et on fait de la ségrégation en plus! Je ne suis pas une fillette! Je m'appelle Marie Bellec, et je vais vous présenter à mon père. Il saura vous aider, affirme-t-elle en tirant le soldat avec plus de vigueur.

Ils franchissent deux marches et, une fois entré, Henri découvre la cuisine d'une vieille maison confortable au décor dépouillé. Une femme et un homme d'une cinquantaine d'années, ainsi que trois enfants, une fille et deux garçons, se lèvent d'un bond.

— Papa, regarde! Voici le Canadien que Louis et moi avions trouvé. Il est aviateur, et…

— Sous-lieutenant Henri Léveillée, de l'Aviation royale canadienne. Mon Spitfire, de l'escadrille 412, s'est écrasé quelque part au-dessus de la région.

— ... voilà. Et il est incroyablement grossier, ajoute Marie en donnant un coup de coude au pilote.

Le père, un homme au regard sombre, dévisage en silence le Québécois, puis s'approche pour lui serrer la main. Les enfants, eux, paralysés par un mélange de méfiance et d'extase, fixent le nouveau venu. Comprenant que cette famille est encore sur ses gardes, Henri tend ses papiers à l'homme. Les vrais, mais aussi les faux, destinés à duper les Allemands. Du même coup, il retire son ceinturon, se privant de son revolver, prouvant ainsi qu'il remet sa vie entre les mains des Bellec.

— Monsieur Léveillée, bienvenue chez nous, prononce le père après avoir analysé les documents de l'aviateur. Vous avez dû marcher longtemps pour arriver jusqu'ici. Et vous êtes en piètre état ! C'est un miracle que vous ayez survécu à un tel voyage. Allons d'abord soigner cette vilaine plaie. Vous nous raconterez tout plus tard. Suzanne, va chercher des pansements !

Tandis que le Français parle, la blessure d'Henri continue de le faire souffrir. Le sang, qui coule le long de sa jambe, tache le plancher. Monsieur Bellec fait asseoir le jeune pilote un moment, puis l'invite à se dévêtir.

— Euh… ici? répond confusément Henri en croisant le regard amusé de Marie.

— Non, bien entendu. Dans la chambre des garçons. Louis, accompagne monsieur Léveillée.

Le jeune interpellé, fier comme un paon, emmène Henri dans la pièce désignée.

Arrivant à son tour dans la chambre, madame Bellec grimace en prenant connaissance de la gravité de la blessure. Elle explique qu'elle a agi comme infirmière durant la Grande Guerre de 1914-1918. Pendant qu'elle nettoie le sang coagulé d'une main trop empressée, monsieur Bellec tend une bouteille de calvados au Québécois. Celui-ci porte le goulot à ses lèvres. La brûlure de la gorgée remplace celle que le jeune homme ressent à la hanche. Après deux lampées, l'hôte retire la bouteille des mains d'Henri.

— Faudrait pas vous soûler, jeune homme. Vous devez garder toute votre tête. Connaissez-vous l'état de la situation?

24

— Votre femme sera mieux placée que moi pour me le dire…

— Je ne parle pas de votre blessure, mais plutôt du résultat du raid sur la plage de Dieppe, précise le père Bellec, que son épouse interrompt aussitôt.

— Demain, il faudra aller chercher le docteur. La plaie est trop abîmée, et il a perdu beaucoup de sang.

Henri, étendu sur le lit de Louis, fronce les sourcils. Il aperçoit difficilement sa blessure. Il se sent fatigué, mais l'adrénaline le garde sur le qui-vive.

— Pas la peine d'en faire tant pour moi, ça va finir par guérir, dit le nouvel arrivant sans se croire lui-même.

— Ne vous en faites pas, le docteur est des nôtres.

Des nôtres ? Henri n'est pas certain de comprendre. Sans s'expliquer, monsieur Bellec dévoile au blessé le résultat de l'opération Jubilee. En quelques heures, plus de six mille soldats ont débarqué sur la plage de Dieppe et ont été arrosés de balles par les mitrailleuses et les fusils de mille cinq cents Allemands. Ceux qui se sont rendus jusqu'au pied de la falaise ont été achevés par les grenades que les soldats ennemis, juchés en haut, laissaient tomber sur leur tête. Le bilan est atroce : plus d'un millier d'hommes tués, et davantage encore ont été faits prisonniers. L'aviateur est atterré.

— Il ne faut pas désespérer. Reposez-vous, l'enjoint son hôte. Ici, il ne vous arrivera rien.

3

Cyrille Dubois

Saint-Aubin-sur-Scie, France

Deux heures après l'arrivée d'Henri chez les Bellec, la nuit leur livre une autre surprise. Attablé à la cuisine, tout le monde observe maintenant le fantassin assis près d'eux. Quelques minutes plus tôt, il s'est affalé devant la porte de la maisonnette en la frappant de son poing, inquiet. On l'a ensuite fait entrer et on l'a installé sur une chaise.

En camisole, le jeune homme d'une vingtaine d'années respire difficilement. Sous ses cheveux aplatis par l'eau salée et la sueur se dessinent un front large et des yeux marqués par le spectacle d'une journée cauchemardesque.

Le nouveau venu ne regarde nulle part. Il semble ailleurs. Dans sa tête, sans doute. Plus précisément sur cette plage de galets devant

Dieppe, en compagnie de dizaines d'autres hommes en uniforme. Devant eux se dresse une immense falaise blanche. Perchés sur celle-ci, les soldats allemands occupent de solides postes d'observation et scrutent, dans la mire de leur arme, chacun des mouvements qu'ils perçoivent, les interrompant d'une salve de mitrailleuse, tuant avec la même froideur que s'ils tiraient sur des cibles de bois.

Assailli par sa mémoire, le soldat se répète la scène qui s'est jouée ce jour-là. Il entend les déflagrations, le staccato des mitraillettes, le sifflement terrible des obus fondant à une vitesse foudroyante sur des objectifs inconnus. Il approche de la plage, à bord d'une péniche de débarquement. Sur sa droite, une embarcation semblable à la sienne cède sous l'impact d'un projectile ; elle éclate, telle une vulgaire boîte de carton d'où jaillissent des corps humains ensanglantés, déchiquetés. Il ressent le choc net de sa péniche heurtant le sable, pendant que les balles picorent le bois et le métal de l'embarcation. Il reconnaît le rugissement du sous-officier qui ordonne aux hommes de sauter par-dessus bord, dans l'eau froide et rougie. Il revoit son camarade, devant lui, prendre son élan pour bondir hors de la péniche, avant de retomber net, foudroyé par une balle en plein front.

Il n'avait que dix-huit ans.

Le fantassin assiste à tout cela, mais il ne dit rien. Il ne répond pas non plus aux questions de ces Français qui l'ont prié d'enlever sa chemise pour nettoyer la blessure au cou qu'il ignorait, tant la douleur physique le laissait indifférent.

Pendant qu'il avance avec peine sur cette plage de galets mouillée d'eau et de sang, dans laquelle ses talons s'enfoncent maladroitement, il réentend les cris d'effroi, auxquels se succèdent les hurlements de douleur des hommes happés par des balles, puis les supplications des fantassins, appelant leur mère ou implorant Dieu d'abréger leurs souffrances. Sa vision est étourdie par les balles ricochant sur les galets, sur les casques et sur les chars, dont l'avancée est endiguée par les cailloux qui s'infiltrent dans leurs chenilles. S'il regarde à gauche, il voit des hommes tomber à la renverse en lâchant leur arme, surpris par une balle qui s'est logée en plein dans leur poitrine. S'il regarde à droite, il découvre, à moins d'un mètre, les entrailles d'un camarade. Il le reconnaît, figé dans une mort honteuse, le ventre ouvert. Enfin, le soldat se voit plonger vers le sol, ramper, rouler sur lui-même, puis courir.

Ensuite, c'est le trou noir. Que s'est-il passé ? Il ne saurait le raconter. Des cris d'Allemands l'ont ramené à la raison. Rapidement, il trouve un mur derrière lequel se cacher avec son arme enrayée ; il aperçoit les péniches qui se retirent, tandis que lui, seul et bouleversé, s'enfuit vers les terres.

Il est entré dans cette maison après avoir marché longtemps. C'était la seule demeure qui laissait percer, entre ses volets, la ligne claire d'une lampe.

Soudain, il entend la voix d'une jeune femme et sursaute. Devant lui se tiennent les membres d'une famille française, ainsi qu'un jeune homme livide, en culotte de pyjama, à qui l'on donne des explications :

— C'est l'un des vôtres, explique monsieur Bellec à Henri. Il n'a pas prononcé un mot depuis qu'il est arrivé. Je l'ai fait boire un peu. Il est blessé.

Le fantassin reprend alors ses esprits et se présente. Il s'appelle Cyrille Dubois et il fait partie des Fusiliers Mont-Royal. Il raconte son histoire à bâtons rompus, bégayant sans cesse. Puis, délaçant ses brodequins, il dévoile sa cheville foulée, rouge et enflée.

— Deux soldats canadiens en une nuit, voilà de quoi nous tenir éveillés! pense tout haut Marie.

— Il faudra vous cacher, déclare monsieur Bellec en frottant sa moustache.

— Pourquoi faites-vous cela? demande Henri, appuyé à la rampe de l'escalier.

— J'ai mes raisons. En attendant…

Bellec n'a pas le temps de terminer sa phrase. Une main cogne fermement à la porte d'entrée. Louis s'approche pour s'enquérir du nom du visiteur, mais avant même de poser la question et d'obtenir une réponse, il reçoit la porte en plein visage. Deux soldats allemands et un officier pénètrent aussitôt dans la maison. Ce dernier, l'œil sombre sous la visière de sa casquette, correspond parfaitement à l'image qu'Henri s'est faite des officiers SS. Quant aux soldats, ils semblent prêts à tout : bien éveillés malgré la nuit, le doigt à quelques millimètres de la gâchette de leur pistolet mitrailleur qu'ils portent en bandoulière, ils ne prêtent aucune attention au pauvre Louis qui se frotte le nez en se relevant.

Le chef pointe immédiatement Cyrille, et ses hommes s'en emparent. Gémissant sous la rude poigne des Allemands tordant ses bras meurtris, le Canadien offre une faible résistance, alors qu'on l'emmène à l'extérieur. Seul l'officier ennemi s'attarde chez les Bellec. L'air satisfait, il arpente le plancher de bois en dévisageant un à un les occupants avec insistance. Nul ne bouge. Nul ne parle. Seul le tic-tac de l'horloge sur la cheminée tient tête aux semelles du militaire qui heurtent les planches au rythme de son inspection. Avec un accent germanique prononcé, il finit par dire :

— Vous étiez en bonne compagnie ce soir, dites-moi. Vous veillez toujours aussi tard ?

— Seulement lorsqu'une compagnie moins agréable nous empêche de dormir. Vous devez être épuisés vous aussi, après avoir tué tant de monde.

Cette réplique cinglante a été prononcée par Louis, qui se tient encore le nez, le dos appuyé contre la cheminée. Sa mère le dévisage, les yeux écarquillés et la bouche béante, alors que son père se prend la tête à deux mains. L'officier allemand s'avance vers le garçon.

— Je te connais, toi, dit-il. Tu es le petit crâneur qui a joué de sales tours à mes hommes… le jeune Louis Bellec.

Il saisit le garçon par le collet avec rudesse pour l'approcher de son visage.

— Sache que tu paieras tôt ou tard. Ailleurs en France, tu serais passé de vie à trépas pour moins que cela.

Sa phrase terminée, il assène une claque foudroyante au jeune garçon, le projetant sur le plancher. Son frère se précipite pour l'aider à se relever, mais l'officier le bouscule à son tour, puis repousse Louis qui s'apprêtait à se redresser. Sur un ton autoritaire, il livre une mise en garde à la famille, qui a observé la scène sans oser réagir :

— D'ailleurs, je vous connais tous, ici. Chacun de vous est fiché à la Kommandantur. L'accueil fait à ce soldat ennemi ne joue pas en votre faveur. Soyez assurés que vos allées et venues sont observées de très près. Un seul faux pas et nous pourrions vous expédier dans un camp de concentration pour terrorisme ou sabotage. Votre femme, vos enfants et vous, monsieur Bellec. D'ailleurs, qui est ce jeune homme en pyjama?

Henri, que la main de Marie a heureusement maintenu hors de la pagaille, se raidit. Il entend son hôte répondre :

— Blaise est le fils d'un cousin qui vit dans les montagnes. Il garde quelques séquelles de sa naissance ; il est un peu lent, si vous voyez ce que je veux dire. Il vient nous aider au moment des récoltes.

Henri se retient de dévisager monsieur Bellec. *Un peu lent*, pense-t-il. *Quelle insulte !*

— Alors, ce Blaise, il doit avoir des papiers…

— Blaise, tends tes papiers, répond le père Bellec.

Prenant un air un peu hagard, Henri repère ses faux papiers laissés près de l'horloge, et les désigne du doigt. L'officier les inspecte longuement.

— Alors, qu'est-ce que tu t'es fait, mon garçon ? demande-t-il en pointant une tache rouge qui traverse le tissu du pyjama.

— Tombé sur un piquet dans le jardin, marmonne Henri en tentant d'imiter l'accent français.

L'officier émet un petit rire, tourne sur ses talons et se dirige vers la porte, non sans soutenir le regard de Louis, qui le laisse partir, la mort dans l'âme. Quand la porte se referme, tous poussent un grand soupir de soulagement. Le père est le premier à se ressaisir :

— Henri. Il faut au plus vite que vous quittiez le secteur pour vous mettre à l'abri.

Marie s'y oppose : elle refuse que le jeune homme parte dans l'état où il se trouve. Sa mère enchaîne :

— Si Louis continue de jouer au fanfaron devant les occupants, nous serons tous fusillés bientôt. Ils ont tué son meilleur ami quand ils ont surpris celui-ci en train de mettre des patates dans le pot d'échappement de leurs Kübelwagen. La peine n'a pas été longue à venir : ils l'ont fusillé pour acte de sabotage, uniquement pour donner l'exemple. Il avait quinze ans.

L'aviateur se tait, comprenant qu'en temps de guerre, l'occupant ne plaisante pas avec ceux qui résistent.

4

Le collaborateur

Henri a été rapidement fixé sur son sort : d'ici quelques semaines, au plus quelques mois, un commando sera mis sur pied pour délivrer les aviateurs alliés en fuite sur le territoire français. En attendant, il doit seulement éviter de se faire remarquer. La nouvelle de cette échéance, que lui rapporte monsieur Bellec, permet au garçon de prendre du repos et de soigner sa blessure. Cette convalescence est aussi l'occasion, pour le jeune homme, de découvrir l'été français. Les prés sont beaux et paisibles malgré l'ennemi qui domine, les collaborateurs qui furètent, et la mort qui rôde toujours derrière la peur éprouvée par les enfants Bellec. À la fin du jour, avant que son père ne revienne, Marie rejoint Henri dans le jardin cerné de murets. Sous le soleil de septembre, ceux-ci créent un faux sentiment de sécurité. Les deux jeunes discutent; leur conversation est ponctuée par le passage des avions allemands.

— Henri! Il ne fallait pas désherber le potager. Plus tu t'agites, plus tu retardes ta guérison!

— Je m'ennuie à ne rien faire et à écouter les mêmes disques de Charles Trenet. Je connais les chansons par cœur.

Henri se retient de tout lui dire. Il ne veut pas lui avouer que, plus que la douleur de sa blessure, c'est l'absence de Marguerite qui le fait souffrir. Où est-elle? Que fait-elle? Pense-t-elle encore à lui? Sait-elle qu'il est toujours vivant? De peur de laisser paraître ses sentiments, il change de sujet.

— Tu as l'air préoccupé! déclare-t-il.

— Plutôt, oui. Tu n'imagines pas ce que c'est, d'être constamment dans le secret des plans que la Résistance française conçoit contre l'occupant allemand. Chacun est synonyme de mort, de détournement de train, de vol d'armes. Tout cela pour gagner la guerre. Chaque jour, je suis inquiète de ne pas voir mon père ou mon grand frère revenir lorsqu'ils quittent la maison. Quant à Louis, il est tellement entêté qu'il risque à tout bout de champ de nous causer des ennuis.

— Allons, ne t'en fais pas, je…

L'adolescente a retiré la main que le garçon s'apprêtait à saisir. Elle le regarde d'un œil courroucé.

— Ne pas m'en faire? Voyons, c'est impossible de ne pas s'en faire, pour moi, comme pour tout le monde! Sur quelle planète vis-tu, Henri Léveillée?

Le changement de ton de Marie désarçonne l'aviateur. Confus, il rougit. Mais la jeune Bellec continue sur sa lancée :

— Tu as choisi l'aviation. Tu es de ceux qui, après avoir tiré à l'aveuglette, rentrent dans leur petit aéroport pour aller ensuite séduire les jeunes Anglaises, sans s'exposer au danger d'avoir un nazi devant ta porte, venu sonder les planchers, persuadé que tu caches des Juifs ou des armes. Sans sentir la menace d'un espion qui pourrait s'infiltrer dans un réseau pour dénoncer les tiens. N'as-tu pas honte?

Henri ne sait pas s'il doit répliquer ou se taire. Elle a raison : les aviateurs ne vivent pas dans l'angoisse quotidienne. Mais elle a aussi tort : voler, c'est risquer sa vie. Dans le ciel de Dieppe, plus d'une centaine d'aviateurs alliés ont péri. Il soupire et s'apprête à s'excuser, mais madame Bellec entrouvre la porte.

— Dites, les jouvenceaux, vous n'auriez pas vu Louis ? À cette heure, il devrait être rentré de l'école…

En effet, Louis n'a pas donné signe de vie depuis trop longtemps. Monsieur Bellec, arrivé à son tour, affirme qu'il n'a pas aperçu son fils dans les environs. Rapidement, une stratégie est établie, des équipes sont formées, et chacune part à la recherche du jeune téméraire. Les parents vont inspecter les alentours de la Kommandantur. Marie et son frère aîné prennent la route en direction de Dieppe. Laissé seul, Henri décide de remonter la Scie. Il sait que Louis choisit parfois d'aller traîner sur la rive du cours d'eau. Il n'a pas pris son revolver, mais il conserve toujours son poignard sous sa ceinture. Rassuré, il marche d'un pas rapide.

À cette heure de la journée, la campagne s'est drapée d'un calme presque inquiétant. Le soleil lutte encore avec le soir, mais ses rayons s'inclinent peu à peu. Henri avance, perdu dans ses pensées, lorsque des éclats de voix le tirent de sa rêverie. Il est arrivé à la hauteur d'un moulin dont les grandes portes sont entrebâillées. Les paroles, incertaines, jappées comme s'il s'agissait d'un animal pris au piège, sont celles de Louis. Une voix inconnue réplique :

— Tais-toi, imbécile ! Si la menace de ma carabine ne te convainc pas de te taire, elle parlera plus fort que toi !

Henri s'appuie contre la porte de bois et, lentement, étire son cou pour tenter de discerner ce qui se trame dans l'entrepôt sombre du moulin. Il voit, de dos, un homme en veste portant une arme braquée sur sa cible, à savoir Louis, adossé à une armoire, les mains dans les airs. Dans quel pétrin s'est-il mis ? pense Henri en tendant l'oreille.

— Sale traître. C'est toi, hein, qui nous as dénoncés ! C'est ta faute si mon ami est mort ! Je me doutais bien que tu viendrais à ce rendez-vous.

— Mais tu étais loin de penser que nous arriverions armés. Nous avons peut-être juste des fusils de chasse, mais ils tuent autant que les armes des soldats. Alors? Qui sont les résistants de Saint-Aubin?

— Je ne vous dirai rien!

— Et le cousin qui habite chez toi, qui est-ce?

— Tu ne sauras rien, pourriture!

— Tu peux choisir le silence, crache l'homme sur un ton menaçant, mais quand Gérard reviendra avec la voiture, on t'emmènera. On a des façons plus efficaces qu'un fusil à deux coups pour convaincre un petit abruti comme toi de délier sa langue.

Henri n'a pas besoin d'en entendre plus, il a tout compris : cet inconnu est un collaborateur, un rabatteur de résistants. Émile lui avait déjà parlé de ces traîtres, avant sa dernière mission. Leur travail ou passe-temps est d'intimider les gens suspectés de résister aux occupants, de les traquer et de les dénoncer. Moyennant un peu d'argent, ils livrent leurs prises aux SS qui se chargent de les faire parler sous la torture. D'ici quelques instants, cette crapule aura du renfort. Il faut agir vite, avant que Louis ne commette un faux pas irréparable.

Henri saisit son poignard puis, pénétrant dans le moulin à toute vitesse, il se jette sur l'homme, qu'il agrippe par la gorge, avant de plonger son arme blanche sous l'une de ses clavicules. Surpris, le traître lâche son arme; un puissant coup de feu retentit lorsque cette dernière touche le sol. La détonation étouffe le râlement du moribond. En moins de cinq secondes, il devient lourd et inerte entre les bras d'Henri.

Les yeux écarquillés, le jeune Louis n'a rien perdu de cette scène. Il ne bouge pas, ne souffle mot.

Dans une situation de grand stress, il arrive parfois qu'une personne d'un naturel nerveux devienne totalement maîtresse d'elle-même. C'est ce qui arrive soudainement à Henri. N'ayant pas encore pris conscience qu'il vient de tuer un homme, il lève les yeux vers le fils Bellec et lance :

— Ramasse le fusil, Louis.

Les mains couvertes de sang, le Canadien soulève le mort par les aisselles et le tire vers une fenêtre du moulin surplombant le fleuve. Il ouvre le volet et s'efforce de faire passer le cadavre par-dessus l'allège. C'est alors que

l'aviateur se rend compte que le jeune adolescent n'a pas réagi, pétrifié de terreur.

— Ramasse le fusil ! Vite ! Il faut partir
d'ici. Le fameux Gérard va rappliquer dans un
instant ! répète Henri, un ton plus haut, en pro-
pulsant le mort dans la Scie.

Revenant à la réalité, Louis entend le corps
de son assaillant plonger dans l'eau. Il obéit
finalement à l'ordre de son sauveur, attrapant
l'arme d'une main incertaine. Henri se dirige
alors vers lui en courant pour la lui enlever.

— Henri, tu as du sang plein les mains.

— Le sang ! Flûte !

Au sol, une traînée rouge va de l'endroit où
le meurtre a été commis jusqu'à la fenêtre.
Sans hésiter, le jeune soldat ordonne à Louis
d'aller puiser une chaudière d'eau dans le
fleuve. Le garçon s'exécute. Quelques instants
plus tard, pressé par Henri, il en jette le contenu
sur le plancher de bois, diluant le sang avant de
recouvrir le sol de paille. Puis, toujours en possession du fusil, les deux garçons glissent
jusqu'au pied de la rive et se dirigent vers la
ferme des Bellec. Henri tient fermement le
bras de Louis.

— Tu peux me lâcher, je ne m'en irai pas. Après tout, tu m'as sauvé la vie.

— Je m'en moque. Tu viens de mettre tout le monde en danger. Quand le corps de cet homme sera retrouvé, ils chercheront à savoir qui l'a tué.

Henri s'arrête et jette le fusil dans le fleuve. Il se retourne ensuite face à Louis et lui explique :

— Tu as perdu un ami. Moi aussi. J'ai vu son avion voler en éclats à quelques kilomètres d'ici. Il venait de me sauver la vie. Jamais je ne pourrai lui rendre ce service. Mais si je peux éviter que toute une famille passe par les armes, j'aurai peut-être un peu effacé ma dette. Dorénavant, tiens-toi tranquille, Louis.

Le garçon, les bras ballants, regarde le jeune Canadien s'en aller vers la maison en boitant. Penaud, il lui emboîte le pas.

5

Secret militaire

Bournemouth, Angleterre – septembre 1942

Dans un bureau assombri par la nuit, une lampe électrique révèle le front soucieux du *Flight Officer* Laurent Léveillée. Le cousin d'Henri tient dans sa main une lettre qui lui est parvenue par l'entremise des services secrets alliés.

Cher Laurent,

L'Armée canadienne a annoncé récemment la disparition de ton cousin Henri lors du débarquement de Dieppe. Son avion, tout comme celui de son coéquipier, Timothée Ward, a été touché, alors qu'il survolait les terres derrière les côtes. On nous a rapporté le décès du Flight Officer Ward, mais ton cousin manque toujours à l'appel, et les Allemands ne l'ont pas fait prisonnier. Bientôt, un télégramme annoncera officiellement à sa famille qu'il est décédé. Or, il n'en est rien. Les réseaux de résistance nous ont appris qu'il se remet d'une blessure dans un village normand. Cependant, pour éviter que les Allemands ne continuent à le traquer, nous laisserons courir la rumeur par les services de contre-espionnage que son corps a été retrouvé, flottant à quelques kilomètres des plages françaises.

Tu es le seul à savoir qu'Henri est toujours vivant. Je ne devrais pas t'informer de ce genre de chose, puisqu'il s'agit de secrets relevant du SOE. Cependant, je sais toute l'estime que tu portes à ton cousin. Sache que nous ferons tout ce qui est en notre possible pour le sortir de là.

Amitiés,
Émile Cardinal, capitaine

La lettre d'Émile laisse Laurent perplexe. Son jeune cousin, membre du SOE ? Quelle surprise ! Mais une autre chose le trouble : comment pourra-t-il garder ce secret et laisser toute sa famille dans le deuil ? À titre d'officier de liaison, il devra retourner au Canada bientôt, là où se trouve Émery, le cadet d'Henri, qui s'inquiète déjà du sort de son grand frère. Comment le garçon réagira-t-il à l'annonce de la mort de son aîné ?

6

Les résistants

Penché vers la fenêtre, Henri voit la gare de Saint-Aubin-sur-Scie s'effacer dans le lointain. En prenant ce train, il s'éloigne de plus en plus des rives de la Manche et de l'Angleterre. Dans son cœur, il a l'impression que les kilomètres qu'il parcourt érigent un mur supplémentaire entre lui et le Canada. Ses pensées vont vers Marguerite, cette jeune femme qui lui plaît et qu'il désespère de revoir un jour. Depuis son arrivée en France, il ne cesse de penser à elle, à son parfum, à ses jolies pommettes et, surtout, à toutes les fois où le destin les a réunis pour les séparer l'instant suivant.

Il se retourne vers la tête du train. Là-bas, au bout du rail, il y a Paris, cette ville qu'il a vue seulement sur quelques photographies et qu'on dit si belle, si joyeuse, si romantique.

Pourtant, monsieur Bellec l'a mis en garde : la capitale grouille d'Allemands, Hitler en ayant fait une espèce de destination de rêve pour ses soldats en vacances. La vie légère qu'on y mène, ainsi que l'abondance, appartient d'abord et avant tout à ces ennemis en uniformes qu'il côtoiera au quotidien. À bord du wagon, Henri se demande comment sa situation pourrait être pire qu'en ce moment : le hasard a voulu qu'il parte en même temps que des dizaines de jeunes militaires du Troisième Reich en permission. À la gare de Dieppe, il était trop tard pour rebrousser chemin, et il a dû monter entre deux hommes en habit vert-de-gris qui l'ont regardé, lui, le civil, d'un air amusé.

Tandis que le temps avance avec une lenteur que seul le train défie, on bavarde, on rit, on bâille et on ronfle en allemand autour de lui. Blond et pâle, l'air indifférent, son voisin porte le grade de sous-officier de la Wehrmacht, l'armée allemande. Dans un français imprécis, il demande d'abord du feu à Henri.

— Je ne fume pas, désolé, répond lentement l'aviateur, en imitant l'accent régional.

L'autre sourit poliment, puis lui offre un morceau de chocolat. Le Canadien, surpris, le remercie.

Avant son départ, les Bellec avaient informé le pilote à propos d'un réseau organisé : le réseau Comète. Celui-ci se chargera de le faire sortir de la France occupée. Il passera par les Pyrénées, puis transitera par l'Espagne et le Portugal, ce dernier pays étant neutre dans cette guerre, d'où il pourra regagner l'Angleterre pour reprendre le combat. Et revoir Marguerite…

C'est avec ces pensées en tête et cet espoir au cœur que le jeune Canadien atteint la Ville Lumière : Paris ! De cette cité réputée, il ne connaît à peu près rien, sinon la langue. Monsieur Bellec lui a recommandé d'éviter le plus possible les contacts avec les inconnus et, avant de partir, il lui a fait mémoriser le trajet menant de la gare Saint-Lazare à un appartement de la rue Baudin[2]. Il fallait éviter que cette adresse soit mise par écrit, puisque cet endroit, qu'on a nommé son « point de chute », constitue une cachette pour la Résistance. Là-bas, il rencontrera son contact, un certain Robert.

---

2 La rue Baudin a été rebaptisée Pierre-Semard après la Seconde Guerre mondiale. Homme politique, Semard sera fusillé par les nazis en mars 1942.

Personne n'attend Henri à la gare. Le contraire l'aurait étonné. Le pilote laisse les habits vert-de-gris s'éparpiller sur le quai et, rajustant sur lui son costume de paysan en voyage, il se met en route. Sur son épaule pend le sac d'école en cuir de Louis, qui ne contient que le strict nécessaire : quelques vêtements et un peu de nourriture. En guise d'armes, il ne possède que son revolver et son poignard. Il a aussi sa fausse carte d'identité. Malgré cet attirail, il craint pour sa sécurité.

Les rues de Paris lui semblent interminables et il y croise continuellement des uniformes allemands. Chaque fois, une goutte de sueur perle entre ses omoplates, car il craint qu'on lui demande ses papiers. Vivement le point de chute !

Arrivé à la bonne adresse, Henri frappe à la porte. Aucune réponse. Le silence de la rue devant le porche tranche avec l'activité fébrile qui régnait autour du square qu'il vient de traverser. Ce silence le tourmente. Cette attente l'effraie. Et si la cachette avait été découverte par la police militaire allemande ? Et si c'était un piège ? Après quelques instants à patienter, à espérer et à se morfondre, il choisit de quitter les lieux. C'est alors qu'une fenêtre s'ouvre au-dessus de lui.

— Qui cherchez-vous ?

— Euh… Monsieur Robert.

— Eh bien ! Il fallait pousser la porte et entrer. Revoyons-nous en haut de l'escalier, lui répond un homme, dont la voix étouffée trahit une inquiétude palpable.

Henri monte et cogne à une seconde porte, derrière laquelle il reconnaît l'inconnu qui lui a parlé un instant plus tôt. L'homme l'intimide en raison de son regard grave et des traits creusés de son visage. Il n'a guère plus de quarante ans, mais il paraît plus vieux : ses cheveux sont gris et son visage est maigre. L'adolescent, impressionné par l'escalier sombre, la haute porte de bois entrouverte et la main osseuse qui se tend vers lui, sort aussitôt les papiers le présentant sous sa fausse identité : Blaise Duval.

— Monsieur Robert ? Je suis…

— Henri Léveillée, répond l'homme, nerveux, en manipulant le document. Je sais. Et on vous a prénommé… Blaise ! Oh là là !

— C'est le nom du village d'où je viens. Saint-Blaise, bredouille Henri.

— Et vous n'avez pas trouvé mieux ?

— Ça faisait français.

Avant de lui céder le passage, l'inconnu confronte Henri en lui posant quelques questions :

— Qui est premier ministre du Québec, monsieur Blaise ?

— Adélard Godbout.

— Qui entraîne l'équipe de palet qu'on appelle le Canadien de Montréal ?

— Dick Irvin. On appelle cela du hockey, monsieur.

L'homme dissimule son sourire et pose encore une question :

— Et, dites-moi, comment se porte le frère André ?

— Mais, le frère André est mort, monsieur ! Pourquoi cet interrogatoire ?

— Les faux Canadiens ne connaissent pas ces informations. On ne peut faire confiance à tout le monde, Henri. Ou plutôt Blaise. Et, ma foi, vous ne semblez pas être un imposteur. Mais vous êtes bien jeune. Allez, entrez !

— J'ai menti sur mon âge pour m'enrôler, avoue le soldat.

— Ah! J'espère que, cette fois-ci, vous ne mentirez plus. Parce que le seul lien qui vous maintient en vie, c'est celui de la confiance. J'imagine que vous m'avez compris! déclare encore l'étranger en dévoilant un revolver dissimulé dans un étui sous son épaule.

Henri hoche immédiatement la tête et suit son hôte, qui l'entraîne vers un couloir de ce grand appartement parisien. L'autre reprend, d'une voix mécanique :

— Bienvenue dans le réseau Comète, dont je suis l'un des organisateurs. Je m'appelle Ursin Dutaillis. Dans le réseau, on me nomme Robert. Nous avons tous des surnoms et nous n'utilisons nos véritables identités que pour les rapports personnels.

Il paraît anxieux, et cette angoisse contamine Henri, qui se montre à son tour méfiant :

— Et qu'est-ce qui me permet d'être sûr, moi, que vos discours ne sont pas des boniments?

— Cessez vos âneries, Léveillée. Le temps n'est pas à la blague, et je n'aime pas que mon travail soit pris à la légère. Surtout par un aviateur. Vous ne savez pas ce que c'est, vous, la guerre intérieure, le stress quotidien, le risque d'être dénoncé, enfermé, puis torturé. Les Allemands nous traitent de terroristes.

— J'ai été blessé et mon avion a été descendu au-dessus de Dieppe, déclare Henri pour se défendre.

— C'est cela, c'est cela. Je ne sous-estime pas votre travail, mais en ce moment, des centaines de vies dépendent du mien. Vous savez que vous n'êtes que de passage ?

— J'ai cru comprendre qu'à partir d'ici, je ferai un trajet qui me mènera en Espagne, puis au Portugal.

— Et le processus risque d'être long. Alors, il faudra faire preuve de patience. Je vais vous faire dormir dans une chambre. Il se peut que d'autres pilotes viennent vous rejoindre. Pour l'instant, vous êtes seul. Profitez-en !

— On m'a dit que le réseau Comète est réputé pour sa rapidité…

— D'ordinaire, oui. Mais il y a un os.

— Un os ?

Henri n'obtient pas de réponse à sa question, puisque la porte de l'appartement de

Robert vient de s'ouvrir avec fracas. Un individu à la barbe forte, une casquette enfoncée sur la tête, apparaît dans la chambrette où se trouvent les deux hommes.

— Robert ! J'ai ton information !

— Vite, Petit Jean, parle ! fait Ursin en le pressant de s'exprimer, les yeux exorbités.

— Castor a été descendu. Le traître, c'est Capitaine Jacques. C'est lui qui a la liste. Il va la donner à un officier de l'Abwehr.

Henri avait senti que quelque chose de grave préoccupait son hôte et, maintenant, à travers ce bafouillis de surnoms et de termes qui lui sont inconnus, il comprend qu'un drame se joue. Il ouvre la bouche, mais Robert la lui referme net en lui ordonnant de quitter la chambre. Resté seul dans le corridor de l'appartement, Henri n'a saisi qu'un détail : l'Abwehr est impliqué dans cette histoire, et cela n'augure rien de bon ! Lors de sa formation, le jeune Léveillée a appris que cette organisation est en fait le service de renseignements de l'armée allemande. En France, l'Abwehr est responsable de la traque des résistants. Les membres de la cinquième colonne sont en réalité des espions aguerris qui s'infiltrent habilement dans les réseaux de la résistance. Une fois les « ennemis d'Hitler » identifiés par l'Abwehr, ceux-ci sont capturés, puis emprisonnés et exécutés. Si Robert et Petit Jean paraissent aussi fébriles, c'est parce que leur vie est en danger.

L'oreille collée contre le panneau, Henri doit se contenter d'écouter la conversation, à défaut d'y participer :

— Donner la liste ? Le sale traître ! Tellement convaincu par le nazisme qu'il ne pense même plus à vendre ses informations.

— Et dire que nos antennes régionales continuent de nous envoyer des pilotes à faire passer hors de France. Ce jeunot, c'est l'un d'eux ou c'est le garçon du café ?

— C'est un pilote canadien que Bellec a déniché. Ils les enrôlent la couche aux fesses, maintenant, commente Ursin avant de revenir à son sujet d'inquiétude. Tu te rends compte ? Si cette liste tombe entre les mains de l'Abwehr, c'est la moitié du réseau, un journal clandestin, ainsi que plusieurs caches d'armes que ces crapules posséderont, en plus de notre adresse ! D'ailleurs, je ne sais pas où planquer ce gamin en attendant qu'on puisse lui faire traverser la frontière.

Henri sursaute. La réalité vient de le frapper. Si cette histoire s'avère exacte, cette cachette en plein cœur de Paris deviendra la pire des souricières ! L'urgence lui commande d'agir. Mais où aller ? À qui réclamer de l'aide ? Après tout, ses seuls contacts se trouvent de l'autre côté du mur. Il frappe à la porte. La voix de Robert s'élève, sévère :

— Je vous ai demandé de patienter !

La conversation reprend, un ton plus bas.

— Selon mes informations, Capitaine Jacques remettra le tout à l'ennemi demain.

— Dans ce cas, nous avons vingt-quatre heures.

— Non. Il faut agir rapidement. La Gestapo tient à récupérer cette liste, et elle est prête à l'acheter.

— Capitaine Jacques est brouillé avec la Gestapo. Cela ne m'inquiète pas.

— Au contraire : si la police secrète ne parvient pas à acquérir la liste en l'achetant, ses membres utiliseront des moyens très persuasifs pour forcer la main de ce vaurien. Il n'y a pas de temps à perdre !

La fébrilité s'empare du jeune Léveillée. Il attrape la poignée et ouvre la porte.

— Dites, est-ce que vous pourriez m'expliquer ce qui se passe ?

— Jeune homme, je vous prie de retourner dans le corridor.

— Non. Je mérite des explications. Je me sens directement concerné par le sort de ce réseau.

— Il n'a pas tort, le petit, remarque l'homme à la casquette.

— Bon, d'accord, lâche Robert avant de se tourner vers Henri. La semaine dernière, un de nos hommes, Castor, a appris qu'un traître se trouvait parmi nous. Le criminel se fait appeler Capitaine Jacques et il travaille pour l'Abwehr. C'est un redoutable agent qui a détruit plusieurs réseaux de résistance sous divers pseudonymes. Or, hier, Castor a été assassiné. Notre meilleur espion, Petit Jean ici présent, a appris que Capitaine Jacques est derrière cette affaire et qu'il a mis la main sur une liste des membres de notre réseau. Si elle entre en possession des nazis, nous sommes perdus.

— Et le temps presse, ajoute Petit Jean, car il y a fort à parier que la police secrète du

Troisième Reich, la Gestapo, veuille aussi mettre la main sur cette liste. Comme l'Abwehr et la Gestapo ne sont pas en bons termes, il s'ensuivra une course contre la montre pour que le document se retrouve dans les bureaux de l'un ou de l'autre.

— Donc, il faut passer aux actes sans tarder, reprend Robert. Petit Jean, sais-tu qui pourrait se charger de descendre ce traître ?

— Je ne vois pas. Il nous connaît tous. Dès que l'un de nous essaiera de l'approcher, il nous dénoncera. Tout cela est d'autant plus frustrant que je suis au fait de tous ses déplacements et de ses habitudes, et que je connais ses contacts. J'ai même pu fouiller son appartement grâce à la concierge, qui m'a déverrouillé la porte. Mais malgré mes efforts, je n'ai trouvé aucune trace de la liste.

L'agitation monte d'un cran dans l'appartement de la rue Baudin. Robert tire un calepin de son bureau et explique qu'il doit demander l'aide d'un autre groupe secret.

— Mais nous n'aurons pas le temps de rencontrer ces personnes et de leur expliquer l'affaire. C'est maintenant qu'il faut agir ! déclare son camarade.

— Alors, que proposes-tu?

Un lourd silence s'installe dans la pièce. Petit Jean se prend la tête à deux mains et pousse une plainte désespérée. Il répond, morose :

— Il faut ramasser notre matériel et fuir au plus vite.

— Je peux m'en occuper, moi, de ce Capitaine Jacques ! dit Henri.

— Mais voyons ! Tu n'es pas un espion ! Tu n'as jamais eu à tuer un homme froidement ! réplique Robert.

— C'est faux, riposte le garçon en fronçant les sourcils. J'ai été admis au SOE avant le débarquement de Dieppe, puis j'ai défendu le fils Bellec en poignardant un collaborateur, à Saint-Aubin.

— Alors, qu'en penses-tu? fait Petit Jean en s'adressant à Robert sur un ton insistant.

— Pas question ! tranche le chef du réseau. Je ne peux pas faire courir ce risque à un de nos pilotes. Vous êtes trop précieux pour...

Henri n'a pas envie d'entendre les objections de son hôte. Son devoir de soldat le presse, car il comprend que les minutes qui s'écoulent peuvent mener à la perte de centaines de Français qui militent dans l'ombre. Et, par-dessus tout, il sent monter en lui un besoin de bouger, que sa témérité exalte.

— La cause est trop importante, monsieur Robert. Petit Jean, indiquez-moi qui est ce Capitaine Jacques et je saurai lui régler son compte.

— Il est rusé, rétorque Petit Jean.

— Je suis rapide.

— Il faudra que tu récupères la liste.

— S'il l'a sur lui, je la lui volerai.

Petit Jean sourit et tend la main au garçon. Rabat-joie, Robert refroidit leurs ardeurs en lançant :

— C'est cela ! Apparemment, nous n'avons plus rien à perdre. Faisons confiance à cet enfant.

— Tais-toi. Il est notre seul espoir. Allez, le jeune, viens !

Laissant là un Robert maussade, les deux hommes sortent en coup de vent.

7

Capitaine Jacques

Paris, France

L'ennemi est attablé dans un restaurant chic de l'avenue des Champs-Élysées. En veston cravate, il consulte le menu d'un regard perçant, qu'il laisse parfois errer dans la salle à manger ou au travers des fenêtres, avant de revenir vers l'objet de ses préoccupations : la table d'hôte.

Il a dans la vingtaine, le teint clair et, hormis ses petits yeux vifs, personne n'aurait de raison de porter attention à cet individu. C'est pourtant lui que l'on surnomme Capitaine Jacques.

Demeurés sur le trottoir, Henri et son guide espionnent le client à travers la vitrine de l'établissement.

— Il attend quelqu'un, commente Petit Jean.

— Rendez-vous galant ?

— Non. Il ne l'emmènerait pas dans un restaurant aussi coûteux. C'est clair qu'il est ici pour affaires. Je ne pourrai pas rester avec toi; il va finir par me repérer. Il a un œil entraîné à débusquer les furets.

— Je pourrais aller le rejoindre et…

— C'est imprudent. Attends qu'il sorte de là et suis-le. À la fin du repas, il fera nuit. S'il est seul, passe à l'attaque. Il aura peut-être déjà donné la liste à un contact; il faudra rapidement savoir où il se dirige. Moi, je vais me poster à son appartement. Si tu le manques, je finirai la besogne. Bonne chance !

Petit Jean parti, Henri commence une étrange ronde de surveillance, traversant les intersections, revenant à l'entrée du restaurant, puis se dirigeant vers les vitrines des boutiques aux alentours.

Assis devant Capitaine Jacques, un officier allemand discute maintenant avec lui, en partageant une bouteille et un repas qui s'éternise. Henri craint qu'un policier l'intercepte, tant il s'attarde longuement sur les trottoirs de plus en plus désertés de la grande avenue parisienne.

Enfin, le militaire sort et hèle un taxi. Henri se cache derrière une colonne Morris et tend l'oreille.

— Quatre-vingt-treize, rue Lauriston, *bitte*, fait l'officier avec un accent à cheval entre un français imparfait et un allemand autoritaire.

La voiture repart et Henri se retourne vers l'entrée du restaurant. Capitaine Jacques sort à son tour, un chapeau profondément écrasé sur sa petite tête. Le jeune espion part à sa suite. Une bruine se dépose maintenant sur les pavés de la Ville Lumière, que les soirées en temps de guerre plongent dans une obscurité prématurée. Le collaborateur marche d'un pas rapide et s'enfonce dans le dédale des rues. Henri serre de plus en plus fort le manche de son poignard et tente d'approcher de sa proie. Seulement, aucun endroit ne s'avère propice à l'attaque.

Et s'il me tendait un piège? se demande Henri avant de ralentir le pas pour repérer l'endroit où il se trouve. Heureusement, Capitaine Jacques se dirige bien vers son appartement. Rassuré, le Canadien prend son courage à deux mains, tire son arme blanche de sa ceinture et accélère le pas. Toutefois, sa proie pousse soudainement un cri de terreur et, en moins d'une seconde, disparaît.

Henri distingue alors une ruelle. Le pilote s'élance et, parvenu au coin du mur, il aperçoit, dans la pénombre, deux hommes en imperméable. Armés de bâtons, ils frappent les bras et les jambes de Capitaine Jacques.

Henri repère une poubelle et se cache derrière pour observer la scène. Jacques se trouve maintenant à quatre pattes et crache du sang. À mi-voix, un des assaillants répète :

— La liste. Immédiatement. Immédiatement !

Tenant sa victime par la nuque, l'autre inconnu matraque son dos avec vigueur. Entre deux quintes, le traître réussit à dire :

— Vous ne l'aurez pas.

Coup de pied dans le ventre.

— Je te conseille de nous la donner, poursuit celui qui l'interroge, parce qu'autrement, on envoie tes petits amis de la Résistance pour régler ton compte. Après tout, l'assassinat de Castor, c'est bien toi, non ? C'était une commande de l'Abwehr ? Tu aurais mieux fait de travailler avec nous. À la Gestapo, nous avons des moyens autrement plus efficaces.

Coup de matraque dans les omoplates. Jacques tombe face contre terre. Il semble manquer de souffle, mais Henri ne peut se résoudre à intervenir, même s'il voit l'homme souffrir. Après tout, il s'agit d'un agent de l'ennemi. Pendant qu'un des gestapistes se penche pour tirer sa victime par le col, celle-ci parvient à dire :

— Je l'ai déjà remise au major Pohl. Essayez, maintenant, de la récupérer en frappant un officier.

L'homme s'étouffe dans son rire, et les deux assaillants le ruent une dernière fois de coups avant de prendre la poudre d'escampette. Tapi dans son coin, Henri entend Capitaine Jacques appeler au secours. Le Canadien s'enfuit à son tour.

8

La Carlingue

Paris, France

Pour empêcher les avions ennemis de les repérer en survolant la France, l'occupant allemand a obligé les villes à éteindre l'éclairage des artères. Du coup, on a aussi interdit la circulation des citoyens : c'est le couvre-feu. Les rues désertées et silencieuses inquiètent Henri, qui retrouve Petit Jean avec soulagement. Il a couru tant bien que mal, malgré sa blessure qui le fait souffrir aux pires moments.

— Capitaine Jacques vient de passer un mauvais quart d'heure.

— Tu l'as eu ? Il est mort ? Tu as la liste ?

— Non. La Gestapo est passée avant moi pour le rosser. Quand j'ai voulu l'achever, il appelait déjà au secours et j'ai dû m'éclipser. Et il y a pire : la liste est tombée entre les mains d'un certain major Pohl, parti au quatre-vingt-treize, rue Lauriston.

Petit Jean serre les dents en entendant le nom de Pohl. Il le connaît. Mais l'adresse le fait sursauter :

— La rue Lauriston ! Mais c'est le siège de la Gestapo ! Pourquoi un agent de l'Abwehr voudrait-il aller à la Carlingue ? C'est insensé !

— La Carlingue ? demande Henri en reprenant son souffle.

— C'est le nom qu'on donne au repaire de Lafont, l'un des chefs de la Gestapo française, un petit escroc que les SS ont tiré de prison pour voler et intimider les Français, et dénoncer les résistants. En capitulant devant l'Allemagne, la France a accepté de fournir des millions de francs en impôt pour l'entretien de l'armée d'occupation. À cause de types comme Lafont, l'Allemagne est littéralement en train de piller le pays entier. C'est un agent qui n'a pas froid aux yeux. Dans son immeuble, tout se passe : torture, fêtes bien arrosées, corruption.

— Mais ça n'explique pas ce que Pohl va faire là-bas.

— Il veut sans doute vendre la liste que la Gestapo pensait avoir gratuitement en attaquant Capitaine Jacques.

— Alors, il faut que j'intervienne rue Lauriston, avant que Pohl ne se débarrasse de son butin.

Les deux résistants se séparent. Le couvre-feu est sonné et, tandis que le jeune Léveillée part à la recherche du major Pohl, Petit Jean regagne le repaire de la rue Baudin où Robert l'attend, accompagné d'une demi-douzaine de résistants. La plupart d'entre eux ont entre seize et trente ans. Tous paraissent sur le qui-vive. À l'arrivée de leur ami, ils forment un cercle autour de lui. Le chef du groupuscule le presse de questions :

— Alors ? La liste ? Vous l'avez ?

— Pas encore, répond Petit Jean, avant de résumer la situation en détail à ses confrères.

— Quoi ? Quel nom as-tu prononcé ? demande Robert. Pohl ? Le major Pohl ? C'est l'un des officiers les plus gangrenés de l'Abwehr, une fripouille qui vendrait sa mère pour quelques marks ou pour avoir plus d'influence. Il est clair qu'il a décidé de prendre la liste à

Capitaine Jacques pour la vendre à la Gestapo et encaisser le profit. J'ai une agente envoyée par les Britanniques qui suit présentement Pohl. Elle se fait passer pour sa secrétaire ou sa maîtresse, je ne sais trop. Les Britanniques veulent accumuler des documents contre lui, puis le faire chanter afin de le convaincre de travailler pour les Alliés. Si le nom de cette femme se trouve sur la liste, sa vie ne tient plus qu'à un fil ! Il faut prendre contact avec elle.

Tous acquiescent. Le chef des résistants donne alors une série d'ordres aux autres : dans l'heure qui vient, l'appartement de la rue Baudin doit être déserté, et tous les documents doivent être placés en lieu sûr. Quant à Petit Jean, il a comme consigne de rattraper Henri avant qu'il ne soit trop tard.

— Pourquoi ? demande-t-il à Robert.

— Pour éviter qu'il ne s'attaque à l'agente britannique, et parce que je ne souhaite pas qu'il tue Pohl, sans quoi la mission de l'agente serait un échec.

Pendant que les résistants plient bagage et s'activent à prévenir leurs amis du danger qui guette tout le réseau Comète, Henri, ignorant le tumulte dans lequel est plongée la rue Baudin, s'apprête à se jeter dans la gueule du loup. Défiant les patrouilles qui passent dans Paris endormi, il traverse les rues et les arrondissements pour enfin atteindre sa destination, le souffle court. Le quatre-vingt-treize est la seule façade dépouillée de la rue Lauriston. C'est un immeuble sévère, voire sinistre, aux volets clos. Henri sonne à la porte, et une concierge lui ouvre, ce qui le surprend. Il était persuadé qu'il ferait face à une sentinelle en uniforme SS. Dans la maison éclairée, derrière la femme, des airs joyeux et des éclats de voix retentissent. On fait la fête.

— Qu'est-ce que vous voulez? demande-t-elle, une serpillière à la main.

— Je désire voir le major Pohl. On m'a dit qu'il se trouvait ici.

— Vous n'êtes pas fou, non? Le couvre-feu, qu'est-ce que vous en faites? Et puis ici, tout le monde dort, assure la femme.

Elle ment; son haleine trahit son vice. Dans le seau qu'elle traîne derrière elle, une bouteille de vinasse est à demi-enfouie dans l'eau sale.

— Je n'en suis pas si sûr, répond Henri, en montrant du doigt les arrières de la ménagère, comme s'il pouvait pointer la musique et les rires.

— Ah ça? fait-elle en esquissant un geste désinvolte. C'est la routine. Ici, ça fête, ça bavarde. C'est la Carlingue, quoi! Quant à votre Pohl, je ne le connais pas.

Au même instant, une voiture freine dans l'étroite rue Lauriston et deux civils en descendent. Sous leur chapeau large et leur uniforme cintré, Henri croit reconnaître les ombres qui ont battu Capitaine Jacques quelques minutes plus tôt. En passant la porte, ils bousculent le jeune Canadien, puis insultent la concierge :

— Alors, la folle? Encore à téter les fonds de bouteilles de Lafont?

La femme hausse les épaules.

— Est-il ici, d'ailleurs? On a à lui parler. Rapidement! Va nous le chercher!

— Il n'est pas arrivé. Puis, il a un monsieur im-por-tant à rencontrer. Alors…

Les deux gestapistes disparaissent en direction de la cave, non sans lancer une dernière boutade à la concierge. Heureuse-ment, aucun des deux ne semble porter atten-tion au jeune homme qui retient son souffle devant la porte. La femme jure entre ses dents. Pour se venger, ou parce qu'elle en a assez de toutes ces allées et venues, elle lance un regard complice à Henri.

— Vous faites ce que vous voulez, mais moi, je ne vous ai jamais vu. Compris? dit-elle en le faisant entrer.

Léveillée hoche la tête et répond au sourire de la ménagère. *Ça y est, j'y suis,* se dit-il. Puis, il hésite: suivre les truands qui se sont dirigés vers le sous-sol ou escalader une pre-mière volée de marches? Si ces deux agents veulent parler à Lafont, c'est sans doute au sujet de la liste. Et ce monsieur important, auquel l'ivrogne vient de faire allusion? Serait-ce Pohl? Estimant que dans ce cas, ce dernier patienterait probablement à l'étage, Henri grimpe l'escalier, tourne dans le corri-dor, avant de passer à côté d'un salon enfumé à l'éclairage feutré. Il scrute les occupants: des hommes et des femmes qui discutent, rient et boivent. Une jeune femme croise alors le regard du nouvel arrivant et s'écrie:

— Oh! ce qu'il est joli, celui-là! Hé! Toi, mon petit, viens ici!

Interloqué, Henri ne peut pas reculer, puisque plusieurs convives l'ont remarqué. Il avance d'un pas hésitant. Certains sont en tenue de soirée, d'autres en uniforme d'officier allemand. La jeune et jolie blonde l'attrape par le poignet, mais un homme, au centre de la pièce, s'adresse à elle sur un ton paternel :

— Corinne, s'il te plaît, laisse ce garçon tranquille. Vous, venez ici. Je vois que vous êtes impressionné : ce n'est pas tous les jours ou plutôt toutes les nuits qu'une star du cinéma s'accroche à soi. Je me présente, Jean Luchaire, patron du journal *Les Nouveaux Temps.* Vous avez sans doute déjà vu ma fille dans un film ou un autre, j'imagine. C'est Lafont qui vous a choisi, ou bien Bonny?

Henri vient d'essuyer une averse de noms qu'il n'a jamais entendus. À peine reconnaît-il le nom de Corinne Luchaire, une séduisante actrice dont il n'a entendu parler qu'à quelques reprises. Il la trouve charmante, mais il n'ose pas s'exprimer ; tous les regards se sont tournés vers lui. Les commentaires des dames élégantes aux mains gantées qui le regardent avec un petit sourire amusé suscitent sa curiosité et le déstabilisent. Sans penser, il demande :

— Bonny ? Qui est-ce ?

Des rires s'élèvent. Puis, un grand homme mince et moustachu vient serrer la main d'Henri, alors que Jean Luchaire le présente : Pierre Bonny[3], responsable de la Gestapo. Le garçon déglutit avec peine en déclinant sa fausse identité :

— Je m'appelle Blaise Duval.

— Blaise. C'est mignon, comme prénom, commente l'actrice.

Le constat que Léveillée pose sur la situation le terrorise : le voilà entouré de la crème des bandits SS de Paris. Sur un ton léger, Bonny se moque de lui en lui assénant de grandes tapes amicales dans le dos :

— Je vois que la mémoire se perd chez les jeunes Français. Vous ignorez tout de moi. C'est peut-être mieux ainsi ! Je crois qu'il y a quelques dames qui, ce soir, seront ravies de vous avoir pour elles. Dites-moi, où Lafont

---

3   Pierre Bonny était un policier très en vue avant d'être révoqué pour corruption. Sous l'Occupation, il devient un responsable de la Gestapo.

vous a-t-il trouvé ? On commence à avoir de la difficulté à dénicher d'aussi jolis jeunes hommes dans les rues de Paris. Oh ! Pardon, j'oubliais de vous servir une coupe de champagne.

Henri étouffe dans cette pièce où tout le monde parle trop fort, où tout le monde fume, où la musique est assourdissante, et où les parfums sont odieusement piquants. Il demande le chemin des toilettes à Bonny. En le raccompagnant vers la sortie du salon, le gangster lui souffle à l'oreille :

— Que je ne te revois pas au salon, petit gigolo. Pas question de faire de la sollicitation parmi mes invitées. Et encore moins dans cette tenue ! D'ailleurs, que fais-tu ici ?

C'est le comble, pense Henri. On le prend pour un jeune prostitué au service de ces fripouilles. *Quelle affreuse maison, cette Carlingue !* Il hésite, puis dit :

— Je cherche le major Pohl.

— Le major ? Quelque part dans l'édifice. Je ne savais pas qu'il aimait... ce genre de compagnie. Je peux te l'envoyer après sa rencontre avec Lafont. Pour l'instant, va attendre dans la pièce, là, au bout, à droite. Et que je ne te prenne pas à flâner dans les couloirs !

Une fois dans la pièce indiquée, Henri entend la porte derrière lui se verrouiller d'un tour de clé dans la serrure, puis le pas de Bonny s'éloigner sur le carrelage. Ouf ! Le voilà seul. Pour le moment, en tout cas. Pas question de s'attarder. Tendu, Léveillée jette un œil aux alentours, à la recherche d'une sortie. À la lumière de la lampe placée sur une table de chevet, il découvre un petit bureau de fonctionnaire aux murs verdâtres, encombré de chaises et de paperasse. Au bout des classeurs se trouve une fenêtre : l'échappatoire idéale ! L'ayant ouverte, Henri se faufile à l'extérieur.

Dehors, l'air est frais. Il frissonne, mais il ne perd pas de vue son objectif : il doit atteindre le voleur de la liste, coûte que coûte ! S'agrippant fermement à la gouttière, s'écorchant les doigts au crépi, le pilote parvient enfin à se hisser à l'étage supérieur. Se retenant au garde-corps, il se glisse jusqu'à une porte-fenêtre donnant sur une pièce plongée dans la noirceur. D'un coup d'épaule, Henri la force. Aussitôt entré, il entend une voix de femme provenant de l'autre côté du mur. Elle a sans doute entendu l'espagnolette craquer lorsqu'il a enfoncé la fenêtre.

— Theobald ? Je suis ici, Theobald !

L'éclairage de la pièce d'à côté filtre sous la porte à sa gauche. Henri se colle contre le mur, alors que la femme entre dans la pièce. Il s'apprête à l'assommer d'un coup de poing sur la nuque, lorsqu'elle se retourne.

Ni l'un ni l'autre n'en croit ses yeux.

— Marguerite ?

— Henri ! Vous, ici ?

Elle se jette dans les bras du garçon pour l'étreindre longuement.

— Je vous croyais mort. Que faites-vous dans cette affreuse maison ?

— Ce serait plutôt à moi de vous poser la question.

L'espionne se dégage des bras d'Henri.

— Oh non ! Ça ne va pas recommencer ! Ne me dites pas que vous ne me faites pas confiance. Je…

Un pas martial retentit dans le corridor, ce qui oblige Marguerite à poser son index sur les lèvres d'un Henri qui n'avait aucunement l'intention de parler de toute façon. Elle retourne dans la pièce d'à côté et, par la porte entrouverte, le pilote devient spectateur. Le major Theobald Pohl fait son entrée. Machinalement, l'officier s'approche de la jolie Marguerite et la prend par la taille, puis se penche vers elle pour poser un baiser sur son cou. Poliment, Marguerite se détache de lui.

— Je rencontre Lafont dans quelques minutes, dit-il. J'ai une affaire à régler avec lui. Ensuite, nous descendrons danser. Vous êtes d'accord, Fräulein Laure ?

Laure ? Quel joli prénom pour une fausse identité ! pense Henri.

— Votre rendez-vous avec ce monsieur Lafont est-il important ?

— Très ! Et payant. Mais en attendant que Lafont arrive, nous pourrions…

— Je… non… Je ne sais pas…

— Laure, avez-vous quelque chose à me reprocher ?

— C'est que je suis à vos côtés depuis à peine une semaine…

Henri trépigne. Intérieurement, il prie pour que la jeune femme mette fin à ce jeu de séduction qui lui paraît interminable. Il a deviné que Marguerite est en mission, et il sait qu'elle ne doit pas compromettre sa couverture, mais chaque fois que l'Allemand s'approche d'elle, l'amoureux jaloux en lui désespère de ne pas pouvoir bondir hors de sa cachette pour assommer son « rival ».

— Allons, ma jolie Laure, poursuit Pohl. Lafont s'en vient, donnez-moi au moins un baiser.

— Où le rencontrerez-vous, ce Lafont ?

— De l'autre côté de cette porte, là.

Henri se raidit. Il lui suffit de quelques secondes pour comprendre que Pohl porte les documents sur lui, que Lafont le rejoindra, puis qu'ils traverseront pour effectuer leur transaction. Il n'a pas le choix : il lui faut mettre le major hors d'état de nuire, ramasser la liste et sortir d'ici avant que Lafont n'apparaisse.

Sa décision est prise. Le regard sombre, le jeune Léveillée sort lentement sa dague. En silence, il suit des yeux les mouvements de Marguerite et de l'officier nazi. Dès que ce dernier lui tourne le dos, il bondit dans la pièce, attrape la mâchoire de l'Allemand et plonge d'un coup sec la lame dans sa veine jugulaire. L'homme se débat à peine et, immobilisé par la poigne féroce de son assaillant, il ne réussit pas à pousser le moindre cri.

Rapidement, Henri sent sa victime se détendre, mais il est incapable de lâcher le corps, continuant à fixer le cadavre dont le poids le tire vers le sol.

Marguerite, pétrifiée, ne dit rien. Son regard croise enfin celui d'Henri, où flotte encore la rage et presque la folie. Après un moment de silence consterné, elle parvient à articuler :

— Il y a du sang partout…

— Et c'est tout ce que vous trouvez à dire ? réplique Léveillée, qui se met à fouiller frénétiquement les poches du major.

— C'est que je n'ai jamais vu d'assassinat d'aussi près.

Tout en continuant de chercher, Henri arbore un rictus désabusé :

— Bof! C'est la deuxième fois que je dois supprimer quelqu'un depuis que je suis arrivé en France. Alors…

Marguerite le dévisage, épouvantée. Elle ne reconnaît pas le jeune garçon romantique qu'elle n'a pu oublier malgré ce jour d'août dernier, où il a été porté disparu.

— La voilà! lance ce dernier en tirant la précieuse liste de la vareuse de Pohl. Maintenant…

Le pilote regarde autour de lui. Ses yeux passent du cadavre à la mare de sang qui s'étire sur le parquet. Tout à coup, il réalise l'horreur du geste qu'il vient de poser. Comment a-t-il pu en arriver à donner la mort si froidement à un être humain, sous les yeux de celle qu'il aime? Il pâlit.

— Ah non! Vous n'allez tout de même pas vous évanouir. C'est vous-même qui l'avez tué. Ressaisissez-vous, Henri! fait Marguerite en tapotant le visage de son compatriote.

L'interpellé secoue la tête, étourdi.

— Écoutez, ajoute l'espionne, il faut que vous vous sauviez. Quant à moi, je dois me trouver un alibi.

— Non! Venez avec moi.

— Impossible. Je dois préserver ma couverture ici. Je passe pour la secrétaire personnelle de cet homme et… et… oh là là ! Vous venez de tout gâcher, Henri !

— Marguerite ! Vous ne pouvez pas rester. Vous ne pouvez pas continuer de faire la… la…

— La quoi ? demande-t-elle.

— La… eh bien, vous le savez, la…

— La cocote ? La courtisane ? La marchande d'amour ? Vous manquez de vocabulaire, Henri. Vous pensez vraiment que j'ai été envoyée en France simplement pour jouer la prostituée ?

— Ce n'est pas ce que je voulais dire. Mais…

— Pas de *mais* ! Je suis en mission, Henri ! Vous n'avez jamais vu ça, une espionne ? J'ai une tâche à accomplir : infiltrer l'armée allemande pour accumuler de l'information. C'est très risqué. C'est…

— Comment êtes-vous arrivée sur le territoire français ?

— Comme vous. J'ai été parachutée.

Henri reste sans voix. Marguerite, au bout d'un parachute ?

— Eh bien quoi ? Cela vous étonne qu'une femme puisse se lancer d'un avion ? Nous sommes en 1942, mon ami ! Soyez un tantinet moderne, au moins ! Allez ! Laissez-moi me débrouiller avec ce gâchis.

— C'est que…

— Pas de *c'est*. Pas de *que*. Trouvez un moyen de retourner en Angleterre, prenez le maquis comme les autres résistants, peu importe, mais de grâce, sortez d'ici au plus vite !

Tout en parlant, Marguerite le pousse jusqu'à la fenêtre, puis le force à enjamber le garde-corps et à se laisser glisser le long de la gouttière. À mi-chemin, Henri la voit lui adresser un clin d'œil et disparaître. Dès qu'il atteint le sol, il l'entend pousser des cris. Quelques instants plus tard, dans la Carlingue devenue fourmilière, retentit le pas affolé des invités qui allument les lumières et éclairent une à une les fenêtres du quatre-vingt-treize, rue Lauriston.

9

Le télégramme

Saint-Blaise, Québec, Canada – octobre 1942

À quelques clôtures du village de Saint-Blaise, une petite maison regarde le temps passer sans broncher. Les planches de son revêtement extérieur manquent de peinture, et sa cour est parsemée de mauvaises herbes. En cette journée sans soleil, le vent balaie la terre qui empoussière son porche. À l'intérieur, la photo d'un gamin de douze ou treize ans, tout sourire, est exposée sur le buffet de la cuisine, entortillée dans un chapelet. De chaque côté, des chandelles éclairent un télégramme froissé :

« Deeply regret to inform you that your son, pilot officer Henri Leveillee, was killed during active service overseas on August nineteen. Stop. Please accept my deepest

sympathy. Stop. Letter follows = RCAF Casualties officer.[4] »

Dans la pièce, plus personne n'a besoin de consulter ce papier. Il a été lu et relu tant et tant de fois, que tout le monde en connaît le contenu par cœur et le fuit du regard. Tous, sauf madame Léveillée. Refusant le destin, espérant un miracle, la fermière l'épie constamment, comme si, à force de regards suppliants, furieux ou menaçants, les lettres allaient se mélanger et former un autre message, celui-là porteur d'espoir.

Ses yeux passent sans arrêt du télégramme à l'évier, et de l'évier au télégramme. Elle agit mécaniquement, dégoûtée par ce qui se passe sous son propre toit. L'écho des voix, son mari qui se dispute avec son fils Émery, ses filles qui se querellent. Ses deux mains gercées plongées dans l'eau savonneuse qui recueille ses larmes, elle tourne le dos à la guerre qui déchire le reste de sa famille.

Son aîné est mort. Elle ne le reverra jamais. On le lui a volé.

---

4 J'ai le profond regret de vous annoncer que votre fils, le sous-lieutenant Henri Léveillée, a été tué lors d'une mission outre-mer, le dix-neuf août. Veuillez accepter mes plus sincères condoléances.

Comme toujours, le père Léveillée a voulu se montrer dur et indifférent à la suite de cette tragédie. Plus les nouvelles le blessent, plus il referme sur son visage et dans son cœur l'écrin de pierre dans lequel il enfouit ses émotions. Son chagrin mué en rage, il en déverse les flots dévastateurs sur la cible de son choix.

Invariablement, son choix se porte sur Émery. Cette fois-ci, le père a décrété qu'Émery ne retournerait plus à l'école. Cet ordre désespère madame Léveillée. Son grand fils, si intelligent, si perspicace : le priver d'instruction, croit-elle, c'est priver toute la société d'un jeune prodige. Émery est aussi alerte qu'Henri était impulsif. Hors de lui, le principal intéressé a menacé de quitter la maison si on le retirait de l'école. Il a hurlé d'indignation en promettant à son père de partir pour toujours et de s'enrôler dans l'armée.

Voilà près d'une heure que l'orage gronde, et l'adolescent ne décolère pas. La décision de son père le révolte. Depuis maintenant deux ans, le jeune Émery trouvait dans ses études l'occasion de s'éloigner du modèle d'homme que représente son paternel. Il refuse de lui ressembler ! Chaque semaine, il empruntait des livres à la bibliothèque dans la maison du docteur, près de chez lui, ne fréquentant plus ses amis et s'interdisant d'avoir une amoureuse à ses côtés. Les mathématiques, les langues, l'histoire… Rien ne lui échappait. Il devait tout savoir, tout maîtriser. Plus vite il quitterait son village, mieux il se porterait.

Ce soir, il ne peut retenir ni sa colère ni ses larmes. S'il obéit à son père, il ajoutera, au deuil de son frère, celui de son rêve : devenir un grand diplomate ou un scientifique célèbre. Il devra se contenter d'un métier d'ouvrier de ferme dont il ne veut pas.

— Ne méprise pas mon travail ! C'est ce qui paye tes repas, garçon ! tonne son père, la bouche pâteuse et le regard voilé par l'alcool.

Madame Léveillée lâche un soupir. Elle perdra Émery aussi. Elle le sait, elle le sent. Il est un garçon brillant, sensible. Plus il vieillit, plus il peine à étouffer son besoin de quitter ce village pour devenir quelqu'un d'autre. Il est fait pour les études. Henri était contemplatif et brouillon, mais son frère cadet, pragmatique, pourrait devenir médecin, avocat, écrivain. Ou encore, un grand chef d'État ou un chef militaire.

À cette pensée, la peur étreint la mère. La guerre est une machine à créer de hauts officiers et à tuer des soldats. Plus tôt cette journée-là, les yeux dans un recueil de poèmes, Émery lui avait lu un texte de Victor Hugo. Ce texte parlait de la mort. Il disait : « *Rends-nous ce petit être. Pour le faire mourir, pourquoi l'avoir fait naître ?* » Se remémorant ces paroles, madame Léveillée gémit et échappe un chaudron. Tous arrêtent un instant de piailler, puis le brouhaha reprend, la laissant à ses larmes, à sa vaisselle et à sa peine.

Parfois, la femme aimerait tout abandonner : cette maison, son mari, ses filles, et le seul fils qu'il lui reste. Elle souhaiterait partir, s'en aller, s'envoler. Rejoindre Henri, là où elle croit qu'il se trouve désormais, dans le ciel, celui des nuages ou celui du bon Dieu, peu importe. Elle voudrait quitter cet enfer qu'elle n'aura bientôt plus la force de supporter.

Soudain, la porte claque. Madame Léveillée comprend qu'Émery s'est sauvé. Dans la cuisine, les voix se sont tues de nouveau. Pourtant, personne n'entend la plainte de la mère éplorée.

10

Au cœur du parc des Volcans

Saint-Cernin, France – novembre 1942

Quelle ironie ! Le onze novembre est le jour de l'Armistice de la guerre 1914-1918. Le jour du Souvenir. Or, il a fallu que ce soit en ce onze novembre 1942 que les Allemands commencent à occuper le Cantal, une région montagneuse de la France, constituée de villages anciens et difficiles d'accès, donc parfaite pour cacher des résistants. Voulant les anéantir, les nazis y mettent tous les efforts : ils les cherchent, les extirpent de leurs refuges, les évincent, les exterminent.

Les envahisseurs se sont déversés partout : ils occupent des hôtels, réquisitionnent de belles maisons, s'attablent dans les restaurants et les cafés, suspendent le drapeau arborant la croix gammée dans tous les endroits où on peut l'accrocher, sauf peut-être aux cordes à linge. Mais en dépit de ces petits soldats courant dans chaque recoin de la région, le paysage n'en demeure pas moins splendide, pour qui s'y arrête. Les chemins surplombent des champs dans lesquels vont paître des vaches, une cloche suspendue à leur cou, tandis qu'au loin apparaissent les quatre pignons d'un immense donjon médiéval : Anjony.

C'est dans ce décor pittoresque, dans la petite auberge du village de Saint-Cernin, que le jeune espion aboutit. Appuyé au comptoir, Henri s'efforce de se rendre invisible, contemplant discrètement les lieux. Il vient d'arriver avec, pour tout bagage, une valise de vêtements de rechange plus sales que ceux qu'il porte. Dans ses poches, il transporte à peine une poignée de francs.

Le réseau Comète l'a expédié au cœur du parc des Volcans, juché dans les montagnes du Massif central. Lorsque Léveillée a quitté Paris, Robert lui a ordonné d'attendre dans cet établissement.

— Un ami viendra. Il vient tous les jours. Pour qu'il vous reconnaisse, il faudra lui dire que la soupe aux cailloux est au menu.

Dans l'auberge, un jeune officier nazi à l'uniforme impeccable et au teint clair dîne avec lenteur, s'appliquant à observer tous les détails autour de lui. Ses yeux empruntent le bleu au ciel, mais la méfiance y prévaut comme les nuages annonçant la tempête. Parfois, son visage sourit à la fille du patron, aux joues rondes et roses. Cette comédie énerve Henri. Le jeune aviateur ne pense qu'à sa furtive rencontre avec Marguerite ; son souvenir le submerge, l'obsède. Il ne l'a pas revue depuis. Tout au plus, Robert lui a-t-il affirmé que son intervention avait risqué la vie de l'agente. Petit Jean, lui, l'a félicité : la liste du réseau est désormais en sécurité, tout comme Marguerite. Mais Henri ne sait rien d'autre. Depuis un mois, il ne dort presque plus et il a maigri, la plupart des vivres étant envoyés en Allemagne pour soutenir l'effort de guerre nazi.

À midi trente, la clochette de l'entrée retentit, et un grand garçon trop mince pour son habit apparaît. Sur sa tête est posé un chapeau usé, retroussé à l'avant. Le nouveau venu inspecte l'endroit sans se départir de son grand sourire. On dirait que sa bouche touche ses oreilles. La fille de la patronne s'écrie, plus fort encore que la cloche de la porte :

— Nazaire ! Vous êtes en retard ! Vous, d'habitude si ponctuel !

— Pardonnez-moi, un léger contretemps ! À la maison, mes visiteurs ont décidé que j'étais responsable de la panne électrique généralisée de ce matin, répond le grand maigriot en s'appuyant au comptoir, où la serveuse le rejoint. Le menu du jour, Josette, ajoute-t-il.

Celle-ci lui tend une petite ardoise et se dirige vers la cuisine.

— Alors, que mange-t-on aujourd'hui ? demande-t-il en cognant le coude de son voisin.

— La soupe aux cailloux est au menu, répond Henri à voix basse.

— Dans ce cas, je prendrai deux menus du jour et vous mangerez avec moi, annonce Nazaire, satisfait.

Ainsi, c'est ce type, haut comme un chêne et mince comme une allumette, qui le protégera.

S'installant dans un coin de la salle, Nazaire invite Henri à prendre place avec lui et le présente aussitôt à la tenancière.

— Josette, voici Blaise Duval, fait-il pour commencer, en prenant soin de parler très fort afin que le jeune nazi connaisse l'identité de l'intrus. Blaise est un ami que j'ai rencontré à l'université. Il a fait comme moi : il a tout lâché pour venir perdre sa jeunesse dans le Cantal.

La fille dépose les plats et va rejoindre le garçon en uniforme. Nazaire opte enfin pour un ton de voix qui rassure Henri. Jusqu'à maintenant, il croyait être en présence du pire énergumène rencontré depuis son arrivée en France.

— Salut. Je m'appelle Nazaire Chambon, j'ai vingt ans et je suis propriétaire d'une grande maison, sur la montagne, là-bas.

— Le château ?

— Non, une de ses dépendances. Mon père était un descendant de la famille des châtelains. Au début de la guerre, il est tombé gravement malade, alors j'ai interrompu mes études en physique pour venir le rejoindre.

— Tu devais beaucoup l'aimer.

— Oui. Mais il faut aussi dire qu'un de mes professeurs d'université était tellement partisan des nazis qu'il voulait m'enrôler dans un programme d'armement et utiliser mes connaissances pour créer des engins de destruction massive. J'ai refusé et je me suis enfui, en quelque sorte. Puis, l'armée allemande a réquisitionné la maison. Mon père est mort peu de temps après. Depuis, je m'occupe comme je peux et je contribue à la cause…

— La cause?

L'officier allemand sort de l'auberge en saluant froidement Nazaire.

— Lui, reprend ce dernier sans répondre à la question, c'est Seppel Jaeger, un jeune capitaine SS impitoyable. Les nazis l'ont envoyé ici avec sa petite brigade pour débusquer des Juifs. C'est abominable! Ses complices l'appellent le *Rattenfänger*, ce qui veut dire « l'attrapeur de rats ». Il paraît qu'en Alsace, il a envoyé des centaines de familles dans les camps de concentration. Ici, il fait forte impression, et la patronne de l'auberge souhaite déjà que sa fille l'épouse. Ce nazi a vraiment compris ce que signifie conquérir un nouveau territoire : il agit comme si tout le pays lui appartenait. La terre, nos filles, ainsi que ma maison.

— Alors, tu habites ici?

— Oui, à l'auberge. Et je fais de mon mieux pour donner un coup de main. J'aide des gens en danger, qui fuient le pays et se dirigent vers le sud, à passer la frontière. Viens, je veux te montrer quelque chose.

Sans finir son repas, Nazaire entraîne Henri à travers champs. Puis, s'enfonçant dans les bois, les deux jeunes hommes se mettent à escalader de gros rochers, à serpenter parmi les arbres et à enjamber des cascades et des trous boueux. Henri s'impatiente.

— Nous allons plus haut, jusque chez moi, lui indique le Français.

— Hé, là! Tu m'as dit qu'il y a des Allemands, là-bas! Je ne veux pas me jeter dans la gueule du loup, tout de même!

— Sois sans crainte. En réalité, nous allons *sous* ma maison. Maintenant, chut!

Comme de fait, Nazaire pointe, quelque dix mètres plus haut, le mur de pierres de la demeure familiale, qui surplombe une petite falaise. Ensuite, s'appuyant le dos contre le roc, le jeune homme dévoile à son visiteur l'entrée d'une grotte à laquelle ils accèdent en se tortillant. Le guide allume une lampe qu'il ramasse dans une anfractuosité, avant d'expliquer, à voix basse :

— La maison s'accroche à la montagne. Quand j'étais petit, papa a effectué des travaux dans la cuisine. Il a mis au jour le toit d'une voûte. Il n'était décidément pas curieux. À preuve, il n'a jamais tenté de savoir ce qu'il y avait en dessous. Cependant, en flânant un peu, j'ai découvert cette entrée qui mène à une pièce. Suis-moi !

Le chemin secret, creusé dans la pierre, s'élève dans la montagne. Après quelques mètres, il se transforme en tunnel, qui débouche sur une vaste salle. Celle-ci peut aisément accueillir une trentaine de personnes. Tandis qu'il promène sa lampe, Nazaire dévoile des fragments de peinture sur les parois sèches de l'endroit et, entre deux colonnes médiévales, les restes d'une fresque religieuse.

— Il s'agit sans doute d'une ancienne chapelle, ou d'une crypte. Elle communiquait jadis avec la maison par cet escalier, dont il ne reste que des ruines. Maintenant, j'y entrepose quelques vivres pour mes pensionnaires.

— Et ta maison est au-dessus, si je comprends bien.

— L'escalier donne dans la cuisine. L'endroit où tu te tiens est situé directement sous le bureau de Seppel Jaeger.

Henri déglutit en regardant le plafond. Son hôte devine sa crainte.

— Ne t'en fais pas : ils n'entendent rien. À moins de hurler, bien entendu. Deux groupes d'aviateurs et des Juifs ont déjà séjourné en ces lieux. Les gens que je cache ici y passent quelques jours. Dès que leur transfert est organisé, on emprunte les chemins du parc des Volcans de nuit, jusqu'à la ville de Murat. Mais toi, tu n'as pas besoin de te cacher, puisque tu parles français et que tu as de faux papiers. Tu resteras donc à l'auberge. Ce sera plus confortable.

11

D'où viennent ces enfants ?

Saint-Cernin, France

L'ennui réussit à rattraper Henri. Aussi belle que soit la région de l'Auvergne, ses pensées s'élancent vers l'aviation. Voler lui manque terriblement. Sans parler de Marguerite. Dans sa tête, la voix du chanteur Charles Trenet répète un air nostalgique :

Près de toi, mon amour,
Tout est bleu, comme dans un songe.
Tout est pur, près de toi, mon ange.
Près de toi, le ciel est moins lourd.

Mais Marguerite est ailleurs. Loin d'elle, le quotidien pèse lourd et étouffe Henri. Le voilà coincé dans le Cantal jusqu'à ce que les réfugiés arrivent à la crypte de Nazaire. Ce dernier lui a appris que les fuyards seront des enfants. Quelques nuits après leur arrivée, par un chemin à travers les montagnes, ils entameront une longue marche pour franchir les hautes parois rocheuses menant à l'école primaire de la ville de Murat. Là, une amie leur donnera une nouvelle identité et ils seront confiés à des familles d'accueil. Quant à Henri, un contact du réseau Comète l'y attendra, et il pourra enfin se diriger vers l'Espagne.

— D'où viennent ces enfants ? Pourquoi leurs parents ne les accompagnent-ils pas ? demande Henri.

Nazaire Chambon grimace.

— Prisonniers ? Morts ? insiste l'aviateur.

— Ce que je peux te certifier, c'est que ce sont des enfants juifs. Les nazis détestent ce peuple. Ils sont leurs souffre-douleur. Ils les obligent à porter une étoile jaune brodée à leurs vêtements. Ils leur interdisent d'avoir des boutiques ou des comptes en banque.

— C'est insensé !

— On pourrait le croire. Pourtant, l'Allemagne actuelle est unie dans l'antisémitisme. Hitler le savait : la meilleure façon d'unir des gens, c'est de leur donner quelqu'un à détester. Nous devrons être extrêmement prudents lors de cette traversée dans les montagnes. L'ennemi est impitoyable avec ceux qui tentent de lui arracher ses proies.

***

Chaque jour qui passe, Henri flâne dans la région, marche dans la campagne, visite l'immense château d'Anjony. Un matin, Seppel Jaeger s'installe à sa table du restaurant de l'auberge et entame avec lui une conversation qui ressemble à un interrogatoire. Henri raffine son mensonge : il est un ami de Nazaire, il passe ses vacances ici.

— Des vacances en novembre, monsieur Duval ?

— Quand on est jeune, on n'a pas toujours le choix.

Henri sent que Jaeger doute de lui et, plus le temps s'écoule, plus le pilote est sur ses gardes. Lors de sa formation au SOE, on lui a appris à identifier les espions. Rapidement, il constate que Jaeger le fait surveiller. Un soir, il en fait part à Nazaire.

— Il n'a aucune raison de croire que tu es un aviateur en fuite, lui répond ce dernier. Ne t'inquiète pas : Seppel Jaeger soupçonne tout le monde. C'est même probablement de la jalousie, puisque Josette me pose des questions à ton sujet. Il doit se sentir menacé ; tu lui fais de la concurrence. Maintenant, va dormir. D'ici une semaine, nos jeunes protégés arriveront à la chapelle.

— Eh bien, avant de rejoindre mes couvertures, il faut que j'aille au petit coin, moi. Tu ne pouvais pas me trouver une auberge qui a l'eau courante ? demande Henri sur un ton railleur, obligé de sortir alors que les nuits deviennent de plus en plus froides.

Il n'a pas fait deux pas dehors qu'il sent un poing s'enfoncer avec férocité dans son ventre, puis un coup percuter sa nuque. Il tombe sur les genoux et, tout à coup, deux mains fortes le soulèvent par les aisselles. À moitié assommé, il ne parvient pas à identifier qui, dans la pénombre, l'assaille ainsi. Il distingue toutefois la voix de Jaeger :

— Allez, jetez son pantalon par terre et tirez-le dans la lumière, qu'on sache pour de bon s'il est un sale Juif.

Henri tente en vain de se défaire de la prise de ses ennemis. Quelqu'un s'exclame :

— Zut !

— Qu'est-ce qu'on fait ? demande un autre.

— Laissez-le là.

Henri retombe, empêtré dans ses vêtements, la tête et le ventre douloureux. Une fois
seul, il se relève avec peine. Il se traîne jusque
chez Nazaire, cramponné à l'escalier. Il frappe
faiblement à la porte de son ami. Ce dernier
s'empresse de la refermer derrière lui et d'ins-
taller le blessé dans un fauteuil, une serviette
sur le front. Ne freinant pas son accent québécois, Henri grogne :

— Pourquoi ces maudits-là m'ont-ils
baissé les culottes ?

— Je commence à comprendre. J'ai
d'abord cru que Jaeger te suspectait d'être un
aviateur en cavale : il pensait plutôt que tu
étais Juif.

— Hein ?

— Les garçons juifs sont circoncis, précise
Nazaire, laconique.

Henri se sent soudain très las. Après avoir
grommelé quelques insultes à ces nazis-
imbéciles-et-effrontés, il soupire et se décide

à regagner lentement sa chambre. Vivement l'arrivée des enfants !

***

Deux jours passent encore dans la montagneuse Auvergne, monotone en ce temps de l'année, et plus encore depuis quarante-huit heures. En effet, Nazaire est parti à la rencontre des jeunes réfugiés terrés dans la forêt. Henri, fiévreux, compense cette absence par les visites de Josette, qui s'inquiète des coups qu'il a reçus.

— Mais qui a bien pu te frapper ainsi, Blaise ? répète-t-elle sans cesse en épiant l'évolution de la bosse sur le crâne du garçon.

— Je l'ignore, ment le pilote, sachant fort bien que Josette, malgré son air innocent, s'intéresse tour à tour à Seppel Jaeger et à lui.

Après tout, que peut espérer une jeune femme dans un pays aussi retiré, sinon qu'un étranger tombe amoureux d'elle et l'emmène loin de là ? Les œillades de la fille de la patronne, trop explicites pour passer inaperçues, le divertissent. Elle le traite aux petits oignons, et toutes les questions qu'elle lui pose l'obligent à peaufiner son personnage de Blaise Duval :

— Où es-tu né? Tes parents vivent-ils toujours? Que penses-tu de la guerre? As-tu eu plusieurs petites amies?

Les interrogatoires n'en finissent plus, mais Henri préfère incontestablement les méthodes de Josette à celles de Seppel Jaeger. Le matin, à peine vêtue, elle se permet de venir lui porter un bouillon de poulet. Elle pose la main sur son front.

— Oh! mon pauvre ami! La fièvre ne te quitte pas. Je devrai revenir te voir souvent, dit-elle en s'attardant dans l'entrebâillement de la porte.

En effet, si j'étais Jaeger, je serais jaloux à en mourir, pense le pilote, alité.

Le jour suivant, Nazaire est de retour, l'air fier. Refermant la porte de la chambre de son camarade, il s'approche d'Henri qui, douillet, a gardé le lit, même s'il se porte mieux.

— Dis donc, tu ne te gênes pas! Pendant que je risque ma vie dans la montagne, toi, tu te crois en vacances!

— Mais Blaise Duval est en vacances, répond Henri, espiègle. Et puis, quel mal y a-t-il à se laisser dorloter par la belle aubergiste?

— Eh bien, quoi qu'il en soit, il faudra te tirer du lit ! Tu pars demain soir.

— Les jeunes sont-ils en sécurité ?

— Sois sans crainte. Je les ai installés dans la crypte. Le départ se fera sur le coup de vingt-deux heures. Nous aurons une marche d'environ onze heures à effectuer. Je… Chut ! Pas un mot, l'avertit Nazaire. Quelqu'un frappe à la porte !

— C'est sans doute Josette, répond Henri, amusé.

— Hé ! Ne te laisse pas captiver par cette fille.

— Arrête de t'en faire. J'ai tout de même le droit de voir jusqu'où elle va aller pour m'émoustiller, non ?

En ouvrant la porte à Josette, Nazaire soupire et pose un regard sombre sur l'enjôleuse qui apporte au jeune Canadien quelques charcuteries.

— Du saucisson ! C'est très rare par les temps qui courent. Ça devrait te redonner des forces !

Déposant l'assiette sur la table de chevet, elle en profite pour toucher le front du malade d'une main délicate. Un brin malicieux, Henri fait la moue et émet une faible plainte. Nazaire se mord la joue pour ne pas éclater de rire.

— Mon pauvre petit Blaise, tu es toujours souffrant. Il faudra garder le lit un jour ou deux encore, n'est-ce pas?

Puis, elle sort de la pièce et referme la porte, non sans avoir lancé un sourire suave à son patient.

— Tu vois, murmure Henri, elle me tutoie comme si j'étais devenu son client préféré!

— En effet. Jaeger ne se gênera pas pour t'infliger une autre correction dès qu'il s'en apercevra!

Henri hausse les épaules en souriant.

***

Ils sont six. Quatre filles et deux garçons, âgés de huit à quinze ans. Simon, Ruth, Edna… Henri n'arrive pas à mémoriser tous les prénoms. Ce qui retient son attention, ce sont ces figures imperturbables dont il ne voit que la moitié éclairée par les lampes à l'huile. La lumière découpe leurs silhouettes sur la pierre des murs humides de la crypte. Malgré l'épuisement, la faim, la douleur et la peur, les visages des jeunes demeurent fermés et anormalement insensibles pour des enfants de cet âge. Dans cette atmosphère tendue comme une barre de plomb, ces fugitifs ne parlent presque jamais. Un seul regard suffit pour qu'ils se comprennent. Ils sont si soudés les uns aux autres qu'ils semblent former un tout insécable, imperméable aux relations extérieures. Henri ne trouve d'ailleurs aucune façon de se lier d'amitié avec eux. Par où et par quoi sont-ils passés pour en arriver là ?

Cette fille de quinze ans, se dit-il, *elle pourrait en avoir le double, tant elle agit comme une mère avec les plus jeunes. Comment s'appelle-t-elle, déjà ?*

À ce moment, Nazaire revient dans la chapelle et le tire de ses réflexions. Son sourire apparaît dans l'ombre, sous son chapeau de feutre. À sa main, une lanterne sourde. Une deuxième lampe échoue entre les doigts d'une réfugiée. Les plus vieux sont avisés qu'ils transporteront les plus jeunes si ceux-ci éprouvent trop de fatigue. Avant leur départ, leur hôte les a fait manger et leur a demandé de beaucoup dormir. Aussi, il a trouvé pour ses protégés des vêtements chauds, grâce à quelques amis dignes de confiance.

L'épreuve de la marche qui les attend, dans les ténèbres de la nuit auvergnate, sera d'autant plus difficile qu'il leur faudra avancer à la file indienne sur les crêtes des monts du Cantal, dans l'ombre spectrale du Plomb, ce haut pic chauve qui domine la région. Quoique les enfants en aient vu d'autres, la perspective du sort qui les attend, s'ils ne franchissent pas cette montagne, confère au périple des allures de simple balade.

Ainsi, ces petites figures sans émotion, ne laissant paraître aucune frayeur ou fatigue, filent maintenant à pas lents et calculés loin du destin tragique qui les talonne.

Henri, que la curiosité avait poussé à poser des questions au sujet de la vie de ces jeunes, n'a pas voulu croire Nazaire lorsqu'il lui a expliqué qu'en Pologne, on laisse des familles entières mourir de faim dans la puanteur d'un ghetto. Mais après tout, si ce danger n'est pas réel, que fuient ces enfants? C'est donc à la fois craintif et fasciné que le pilote regarde le groupe s'enfoncer dans la sombre montagne.

***

Les heures passent et les huit marcheurs progressent dans une nuit refroidie et sans lune pour guider leurs pas. C'est par la force de l'habitude que Nazaire, en tête de file, parvient à repérer le chemin. Pour le moment, les lampes sont éteintes. Elles seront rallumées une fois la troisième crête traversée. Cette obscurité complète leur est salvatrice : plus tard, ils ne pourront pas se fier uniquement à l'œil aguerri de Nazaire. Ils se sentiront donc plus vulnérables face aux sentinelles allemandes qui rôdent sans répit.

À la queue, Henri et Rachel, l'adolescente porteuse de la lampe, discutent à mi-voix. Elle lui raconte l'histoire de ses compagnons d'infortune. Nathan avait treize ans quand, en rentrant de l'école avec ses camarades, il a aperçu un camion dans lequel des gendarmes faisaient monter des familles juives. Il s'est caché dans un boisé, le temps que le véhicule s'éloigne et, depuis, il n'a jamais revu ses parents. Ceux de Simon et de Ruth ont été faits prisonniers lors d'une rafle à Paris, l'été précédent. Les enfants ne doivent leur vie qu'à une vieille voisine qui les a cachés chez elle durant un mois, et qui cherchait désespérément un moyen de faire sortir ces orphelins de France.

— Mais que font les Allemands à ces gens qu'ils embarquent ?

— Tu devrais t'en douter, soupire Rachel. Et ce ne sont pas des Allemands qui s'acharnent sur nous, mais des nazis. Des nazis d'Allemagne, des nazis de France, des nazis de partout qui se sont juré de faire disparaître tous les Juifs.

— Ils ne parlent jamais, tes petits protégés?

— Plusieurs en ont perdu l'habitude. Il faut garder le silence partout où on va. Nathan, par exemple, a passé huit mois caché dans un espace d'environ un mètre de hauteur sur deux de largeur dans les combles d'une grange, nourri en cachette par le fils d'un fermier partisan de Pétain[5]. Il ne pouvait jamais sortir sans risque. Il lui est d'ailleurs arrivé de passer des journées entières, immobile, obligé d'uriner sur lui-même et dévoré par les poux. Aujourd'hui, il agit comme un grand frère pour les enfants, mais je ne l'ai jamais entendu parler. Son histoire, je la tiens d'un autre réfugié.

— Et toi, comment t'es-tu retrouvée avec eux?

L'adolescente se referme. Henri ne connaîtra jamais la réponse à sa question.

---

5 Héros de la Première Guerre mondiale, Philippe Pétain deviendra chef de l'État français après la capitulation de la France. Il a fait en sorte que son pays collabore avec l'Allemagne nazie.

Deux heures plus tard, la petite Ruth boite, épuisée. La semelle de sa chaussure ne tient plus qu'à quelques fils. L'aviateur la prend sur son dos. Cependant, la colonne est vite rattrapée par le danger : Nazaire vient d'entendre des pas dans le bois. D'un signe, il oblige tout le monde à se mettre à plat ventre. Tous s'exécutent, mais en tombant sur sa cheville, la fillette pousse un faible cri. Henri pose aussitôt sa paume sur la bouche de l'enfant, mais le son a suffi pour alerter l'ennemi.

Des éclats de voix s'élèvent. Les fugitifs distinguent des projecteurs qui s'éveillent en contrebas. Leurs feux sont dirigés vers les escarpements, et les arbres, vidés de leurs feuilles, n'offrent aucun abri. Le groupe, pris de court, s'offre à la vue d'une compagnie de nazis. Les paroles deviennent plus claires ; elles sont en allemand. Henri et Nazaire reconnaissent d'ailleurs Jaeger quand il crie :

— Chambon ! Sors des bois immédiatement. Tes protégés et toi êtes faits comme des rats.

— Comme des rats ! Le salaud ! peste Nazaire, accroupi.

Tout bas, il donne ses directives.

— Henri, Rachel, partez vers l'arrière avec Ruth. Moi, je m'élance vers l'avant avec les autres.

— Non ! Je ne peux pas laisser les enfants, réplique l'adolescente.

— Ce n'est pas le temps de discuter les ordres, mentionne Henri, bon soldat, tout en prenant la fillette dans ses bras.

Mais Rachel s'interpose et tire Ruth vers elle. Le Canadien perd pied, trébuche et retient un cri d'effroi en sentant ses bottes glisser sur une pierre lisse. À travers la clameur d'une vingtaine de soldats qui grimpent maintenant dans leur direction, soutenus par un éclairage éblouissant, les jeunes emboîtent le pas à Nazaire. Henri, que sa chute a détaché du groupe, fuit seul, se dirigeant vers l'arrière. Après avoir fait quelques pas, il se retourne : aucun adversaire ne le suit, mais ce qu'il voit ne le réjouit guère. Les nazis les ont rapidement rejoints. Ils se sont jetés sur Rachel, que Ruth ne lâche pas. Au fond des bois s'effacent les silhouettes des autres, excepté celle de Nathan, revenant dans la lumière pour foncer sur les hommes qui agrippent la petite fille. Le garçon pousse un cri effroyable avant de bondir, tel un fauve, sur un militaire.

La détonation d'une arme à feu retentit dans la nuit, coupant sec l'élan du garçon. Il s'effondre, happé mortellement par la balle.

Ils tuent des enfants ! pense Henri, dégoûté, en retraitant plus encore dans les bois sombres.

Bouleversé, éperdu, effrayé, il court à perdre haleine sur la crête, risquant de se tordre une cheville chaque fois qu'il lance un regard par-dessus son épaule. De crainte que les Allemands le poursuivent, il se laisse finalement glisser derrière un rocher et retient sa respiration. De là, il ne voit pas Seppel Jaeger, l'œil sombre, son pistolet semi-automatique à la main, ou Nazaire qui dresse ses mains, ou les jeunes qui interrompent leur fuite. Mais il les devine et retient un sanglot.

Dans le lointain, les hurlements de Rachel ne persistent pas. Henri presse maintenant sa propre main contre ses lèvres pour ne pas expulser une plainte de détresse. Seul, dans cette nuit d'encre, il imagine ce cauchemar, celui d'hommes en uniforme encerclant cinq enfants sans défense, qui ne bronchent ni ne pleurent, alors qu'on les conduit, dignes condamnés, vers ce qu'ils fuyaient.

Quels lâches! s'insurge-t-il, fortement ébranlé par la scène d'horreur dont il vient d'être témoin.

Reprenant son souffle, il s'interroge. *Ai-je capitulé, alors que mon devoir était de les aider? Après tout, j'ai fui. Mais, qu'aurais-je pu faire contre le canon des redoutables fusils qu'ils braquaient sur eux?*

Devant cette triste réalité, le Canadien se sent impuissant, indigne des enfants que la vie – ou la mort – vient d'arracher à lui. Les membres transis, il frissonne.

Des larmes lui brûlent le visage.

12

Guet-apens

Saint-Cernin, France

Essoufflé, détrempé, le pantalon déchiré sur des genoux bleu et rouge, Henri revient au petit matin dans le décor encore endormi du village de Saint-Cernin. C'est le seul chemin qui s'offre pour quitter la région. Par ailleurs, il n'a pas le choix : il doit fouiller la chambre de Nazaire et faire disparaître tout indice qui pourrait aider les nazis à identifier d'autres résistants. Ses doigts sont engourdis, tandis que son corps, humide et douloureux à la suite de sa course pour descendre la crête, lutte contre le froid. Depuis quelques heures, la neige a commencé à tisser sa toile sur la campagne. S'il ne se réchauffe pas bientôt, Henri risque de tomber malade.

Sa gorge se serre. Qu'est-il arrivé à Nazaire et aux enfants? Repoussant le chagrin qui l'étreint et puisant dans ses dernières énergies, l'aviateur enjambe la clôture qui emprisonne la cour arrière de l'auberge et se faufile dans l'édifice sur la pointe de ses bottes salies. Mais au milieu de l'escalier menant à l'étage, il s'immobilise. Devant lui, tout en haut, Josette s'agite :

— Mon Dieu, Blaise, c'est affreux ! Sepp et sa brigade, ils les ont tous eus ! Tu es recherché, il faut que tu partes !

— Tu es soucieuse du sort des adversaires du Reich ? Je croyais que tu ne t'intéressais pas à la politique. Surtout quand tu faisais de l'œil à Jaeger.

— J'ai le droit de m'amuser un peu, quitte à jouer un double jeu, répond la jeune femme, acerbe. Le temps presse. Tu ne dois pas rester ici, Blaise : Jaeger est passé, furieux, et il a promis qu'il reviendrait.

— Et Nazaire, sais-tu ce qu'il est advenu de lui ?

La réponse de Josette le prend par surprise :

— Oui, il est revenu brièvement, en cachette. Il a dit qu'il devait se rendre à sa maison.

Ainsi, Nazaire aurait réussi à s'en sortir indemne ? Henri masque l'étonnement que lui cause cette révélation.

— Il a été plus malin et plus rapide que moi, dit-il. C'est compréhensible, il connaît la région par cœur. Pourquoi crois-tu qu'il doive se rendre là-bas?

— Je l'ignore, mais cela ne me dit rien qui vaille : après tout, sa maison est réquisitionnée par les SS.

Soudain, Henri ressent un doute. Nazaire s'étant toujours méfié de Josette, pourquoi lui aurait-il confié ses projets? S'il était allé se réfugier à la crypte, il ne le lui aurait pas révélé. Donc, si Josette dit la vérité, Nazaire s'est rendu à sa demeure, malgré qu'elle soit envahie par des occupants en habits vert-de-gris. Mais dans ce cas, quelle raison aurait poussé le résistant français à aller se jeter ainsi dans la gueule du loup?

À moins que…

À moins que Nazaire ne soit un traître!

Quelque chose ne tourne pas rond dans cette histoire. Le jeune Canadien veut en avoir le cœur net. Il s'élance à travers les champs blanchis par les premières neiges et s'enfonce dans le bois. Toutes les pensées de l'aviateur se sont fixées sur un seul but : retrouver son guide. S'il est vivant – et toujours dans son camp –, il ne l'abandonnera pas ici. Sinon, il trouvera une solution. Pour le moment, le pilote ne voit pas d'autres possibilités.

Parvenu à la côte, Henri remonte jusqu'à la maison des Chambon, autour de laquelle règne un tapage peu habituel à l'aube. Des voix retentissent, des camions font tourner leur moteur, une voiture démarre en trombe. Incapable de se décider à s'approcher plus avant, Henri bat en retraite et se dirige vers la chapelle souterraine. Il pourra y reprendre son souffle et, mieux encore, espionner les allées et venues des occupants. Il presse le pas jusqu'à l'entrée, où il entend :

— Psst ! Blaise !

Cette voix… Serait-ce celle de Nazaire ? Au moment où il se faufile entre les pierres masquant l'accès à la grotte, le Canadien prend conscience de sa bévue. Jamais Nazaire ne l'aurait appelé Blaise ; il aurait dit Henri.

Pistolet mitrailleur au poing, deux SS sortent de l'ombre et le mettent en joue. Du bout de son Luger, Seppel Jaeger lui intime de lever ses mains. Pris au piège, Henri obéit et baisse la tête, honteux et furieux contre lui-même.

La température hivernale s'invite dans la cave par un soupirail, dans lequel s'enchâssent de vieux barreaux rouillés. Les mains d'Henri, glacées, se tortillent comme elles le peuvent pour activer la circulation sanguine. Ses poignets sont liés l'un à l'autre, tout comme ses chevilles, alors que son torse est solidement attaché à une petite chaise inconfortable.

Son visage tuméfié est immobile. Ses yeux sont clos. Il a des ecchymoses sur les deux pommettes. Une entaille au front et plusieurs blessures cachées par ses vêtements sales témoignent des sévices qu'il a endurés. À cet instant, il n'entend pas. Il ne voit rien non plus. Un homme en bras de chemise, suant malgré le froid ambiant, accueille le capitaine Seppel Jaeger dans la pièce de terre battue. Les yeux de ce dernier, d'une remarquable acuité, s'ajustent immédiatement à la pénombre. L'éclairage venu du soupirail dévoile son visage clair. Comme mise en appétit, sa langue humecte ses lèvres.

— Oh là là, Walter ! Ce que tu l'as abîmé, mon petit prisonnier ! remarque-t-il sèchement.

— Il a encore perdu connaissance. Je dois arrêter le travail chaque fois que ça arrive. S'il ne tombait pas si souvent dans les pommes, il serait déjà en mille morceaux. Là, je crois qu'il n'a que quelques côtes et un doigt cassés. Chose certaine, il tient bon, car il n'a rien révélé.

— Ça, c'est embêtant, reprend Jaeger en se frottant le menton, absorbé, comme s'il avait en face de lui un problème d'arithmétique fort complexe.

— Nous pourrions nous montrer un peu plus tendres. Il ne perdrait pas connaissance, et je pourrais continuer de le frapper.

— Cela fait trois jours que nous lui faisons avaler du hareng salé avec un minimum d'eau, que nous lui administrons des gifles et que nous le menaçons. Nous n'en tirons toujours rien. Aucune information sur l'organisation qui l'a mené ici, ni sur son nom de code. Je suis pourtant persuadé qu'il constitue un maillon solide de la Résistance. Sinon, comment expliquer qu'il accompagnait ces enfants en pleine montagne ?

— Peut-être, aussi, que nous faisons réellement erreur et qu'il n'a rien à révéler. Il est étrange, ce petit. Il dit des mots religieux lorsque je le frappe.

Marchant à pas lents, le jeune SS s'approche de sa victime évanouie. Il agrippe ses cheveux et lui relève la tête. Il remarque les deux filets de sang aux commissures de ses lèvres. Un sourire pervers fissure son masque d'ordinaire impassible.

— Impossible, Walter. Il a la même tête que tous ces prétendus héros de la Résistance que j'ai envoyés en camps de concentration. Regarde ses yeux clos… Oui, je sais, il y en a un de bleui, mais d'habitude, un tel visage pur, franc, et animé des meilleures intentions du monde, est celui de ces Don Quichotte modernes qui sont prêts à tout pour sauver des Juifs. Ah ! Ah ! Je les aurai tous. Ce Blaise Duval doit passer aux aveux. À Berlin, on y tient. Et je suis à deux doigts de la promotion, alors, trouve une baignoire d'eau glacée et plonge-lui la tête dedans. Ou bien colle des tisons brûlants sous ses aisselles. Ou ailleurs. Mais fais-le cracher ce qu'il sait. Sinon, c'est toi qui y passeras !

La vraie nature de Seppel Jaeger se révèle. Motivé par la perspective d'avancement, il veut à tout prix faire parler son prisonnier. De plus, il est convaincu qu'en faisant peser la menace sur son soldat, ce dernier se montrera plus persuasif. Walter se raidit. Il fait le salut militaire du bras droit lorsque son supérieur quitte la pièce, referme la porte de la cellule, puis retourne auprès d'Henri, qui revient péniblement à lui.

— Écoute, mon vieux, tu dois parler. Dis n'importe quoi, mais avoue un détail ou un autre. C'est ta seule chance de t'en tirer.

— Foutaise, réussit à dire Henri, la bouche pâteuse, sentant sa langue, qu'il a mordue, saignante et enflée. Où est Nazaire? Je veux le voir.

Le bourreau émet un petit rire et dit :

— Nazaire Chambon? Oh non! J'ai bien peur que ce soit impossible.

— Il est un collaborateur, c'est ça?

Walter rit de plus belle, et secoue négativement la tête. Le prisonnier reste perplexe.

— Alors, pourquoi est-il venu ici après l'arrestation des enfants?

— Mais il n'est jamais revenu ici, voyons! Tu t'es fait rouler par la petite Française!

Soudain, la lumière se fait dans l'esprit embrumé d'Henri. Un piège. On l'a envoyé dans un piège ! Il comprend que Josette est une collaboratrice : qu'elle lui a menti. Elle l'a envoyé en pâture à ces monstres.

À cet instant, le revers de la main de Walter s'agrandit dans son champ de vision. Le coup, solide, le propulse à la renverse avec la chaise. Lorsque sa tête heurte le plancher, il perd une fois de plus connaissance.

DEUXIÈME PARTIE

Les prisonniers de guerre

13

La prison de l'Institut Feller

Saint-Blaise, Québec, Canada – le vingt-quatre décembre 1942

Loin de la France, à plus de cinq mille kilomètres de la guerre, dans un petit village du Québec nommé Saint-Blaise, un collège a été transformé en prison à sécurité maximale. On y enferme les officiers les plus fanatiques de l'armée allemande : des nazis que les Alliés ont surtout fait prisonniers lors de l'abordage de bateaux ou de sous-marins. Le vaste campus, appelé Institut Feller, est entouré de clôtures surmontées de fils de fer barbelés. Il est composé du collège-prison, de tours d'observation, ainsi que d'une ferme. La semaine, s'ils donnent leur parole d'honneur qu'ils ne tenteront pas de s'évader, les détenus ont la permission de sortir de prison pour bêcher et désherber la terre, semer des graines et récolter les fruits de leurs labeurs. Cependant, une seule tentative d'évasion priverait tous les prisonniers de cette occasion de remuer le sol, de faire de l'exercice et, surtout, d'échapper à leur réclusion quelques heures par jour.

Le dimanche venu, les prisonniers empruntent les instruments de musique de l'école et donnent, pour la population des alentours, des concerts dans le réfectoire de l'immense collège.

Ces hommes qu'on sait fidèles à Hitler et à ses volontés guerrières doivent leur étrange liberté à leurs gardiens, qui jugent qu'il est impossible pour eux de sortir du Canada et de revenir dans leur pays. Ils la doivent aussi à la Convention de Genève, qui leur garantit une qualité de vie que leur envie la population du village[6].

L'un des plus fervents amateurs des concerts donnés par les officiers est Émery Léveillée. Désormais âgé de quinze ans, svelte, athlétique et intelligent, le jeune frère d'Henri

---

6 La Convention de Genève est un accord signé par le Canada, l'Allemagne et par de nombreux autres pays, qui garantit aux prisonniers militaires le même traitement que les soldats du pays qui les tient captifs.

s'ennuie mortellement au fond de sa campagne, tel un lion tournant dans sa cage. Aussi, chaque fois qu'il le peut, l'adolescent se sauve-t-il de la maison familiale, fuyant ainsi l'atmosphère étouffante qui y règne.

Après sa première fugue, survenue quand son paternel lui a interdit de retourner à l'école, il a souvent renouvelé l'expérience, même s'il se voit contraint de revenir à chaque fois. Depuis, il n'a cessé de se montrer distant, même envers les autres membres de sa famille, quoiqu'ils soient sans doute aussi affligés que lui-même. L'année qui tire à sa fin laisse en effet à la famille Léveillée le souvenir de leur aîné mort à la guerre. Plein d'espoir, Émery refuse toutefois de croire que son frère soit décédé, et ce, même s'il a appris que le meilleur ami de celui-ci, Timothée Ward, a perdu la vie au cours de la même mission, au-dessus de Dieppe.

Privé d'études depuis quelques mois, le cadet Léveillée a dû compter sur sa débrouillardise pour poursuivre son apprentissage de façon autodidacte. Émery a une soif insatiable d'apprendre. Il veut toujours en savoir plus. Ça ne suffit jamais. Il refuse de laisser le destin faire de lui un esclave de l'ignorance. Son intérêt le ramène toujours aux langues. Il dévore les romans français, bavarde en anglais avec les gardiens de la prison et surprend le curé avec quelques mots de latin. Toutefois, depuis un mois, apprendre l'allemand est devenu son nouveau défi. Il espère ainsi faire d'une pierre deux coups, car il est prêt à tout pour résoudre l'énigme de la disparition de son frère, quitte à se faire engager en tant que reporter de guerre et poser le pied en Europe, ou encore à aller au combat comme soldat. Si seulement il était assez vieux pour s'enrôler…

Émery commence par se lier d'amitié avec un garde de la nouvelle prison. Il est peu à peu devenu un habitué des installations de la Grande-Ligne, où un prisonnier mal-portant avait réclamé que quelqu'un lui fasse la lecture en français. Les employés, voyant l'inoffensif adolescent consacrer une partie de son temps à ce pauvre homme, se sont débarrassés de cette tâche en l'expédiant au chevet du malade. Pour le remercier, le détenu a appris au garçon les rudiments de l'allemand et du piano.

Depuis plusieurs semaines, Émery vient s'exercer pour améliorer son doigté avec cet officier de la marine allemande. Ce dernier n'a négligé aucun argument pour convaincre la direction de la prison, ainsi que le jeune homme, de jouer un air de Noël en duo le vingt-quatre décembre. En cette veille de Noël 1942, ils sont réunis, sous l'œil vigilant des gardiens.

Ce soir-là, le tic-tac de l'horloge du réfectoire s'efface derrière douze retentissants *dong*, rappelant à tous les prisonniers qu'il est maintenant minuit. Pour eux, loin de leur Allemagne natale, le jour de Noël est arrivé depuis maintenant six heures. Ils répriment un grand sentiment de tristesse et de nostalgie. Au centre de la pièce, l'un d'eux se lève. Surveillé de près par une sentinelle, il s'exprime dans un allemand qu'il entrecoupe de phrases en français, afin de bien se faire comprendre de leur jeune invité :

— Chers compatriotes, joignez votre voix aux notes d'Émery et d'Heinrich, qui interpréteront au piano *O Tannenbaum*, notre chant de Noël bien-aimé !

Après un regard au gardien qui l'accompagne – et qui acquiesce d'un signe de la tête – le garçon s'installe au piano. Tremblantes au début, ses mains appuient sur les touches avec douceur, alors qu'autour de lui s'élève le chœur de voix graves et chaudes des détenus émus. Émery termine la pièce musicale, pris entre la fierté de jouer devant une foule et le malaise occasionné par le fait que celle-ci soit entièrement composée de nazis. Il se tourne alors vers son accompagnateur.

— Pourquoi ne chantez-vous pas des cantiques comme *Les anges dans nos campagnes* ou le *Minuit chrétien*? demande-t-il.

— Le régime nazi veut éliminer toute référence à la religion. L'arbre de Noël étant un symbole païen, nous chantons plus souvent *O Tannenbaum*, que vous appelez *Mon beau sapin*.

Émery trouve ces gens bien étranges : ils veulent se débarrasser de la religion, et pourtant, ils admirent un dieu vivant, le führer, qui déclenche des guerres et envoie ses propres hommes à une mort certaine. Cependant, il n'ose en parler, puisque la direction de la prison interdit de discuter de la guerre.

— Je ne sais pas comment vous remercier, poursuit le garçon. En plus de me donner des cours de piano, vous me permettez de ne pas être avec ma famille ce soir.

— C'est plutôt à moi de te remercier, Émery. Ça fait du bien d'avoir près de soi une personne qui croit en ma bonne foi.

— Hé ! Je vous l'ai déjà dit : n'essayez pas de m'amadouer ! déclare soudain le jeune Léveillée, qui se ressaisit. Je sais que vos complices et vous souhaitez avoir de l'aide pour sortir de prison.

— Au contraire, murmure l'Allemand. Moi, je souhaite y demeurer. Auparavant, c'était différent, mais depuis que j'ai été envoyé au Canada, je n'ai plus à m'en faire avec la guerre. Je profite de bonnes conditions de détention et je suis trop loin de mon pays pour penser y retourner. Ne le dis pas aux autres, par contre ; sinon, ils pourraient m'accuser de traîtrise envers l'Allemagne et me tuer dans ma cellule.

Émery écarquille les yeux. Ainsi, cela est vrai, il y a bien des règlements de comptes dans les prisons militaires.

— Dis-moi, Émery, quel est ton nom de famille ?

— Je n'ai pas le droit de vous donner ce renseignement.

— C'est sans importance, voyons. Confie-le-moi et, en échange, je te raconterai mon histoire.

L'adolescent se mord les lèvres, indécis. Il n'ose pas se l'avouer, mais il est fasciné par ce contact avec les soldats reclus. Et même s'il connaît les dangers auxquels il s'expose en les fréquentant, sa curiosité insatiable crible son esprit de questions : ces hommes, d'où viennent-ils ? Que faisaient-ils avant de s'enrôler ? À quoi pensaient-ils ? Et où ont-ils puisé leur motivation pour faire la guerre ? Il veut savoir. Alors tant pis.

— Mon nom complet, c'est Émery Léveillée.

— Léveillée ! Comme ce garçon qui m'a sauvé la vie lorsque mon sous-marin a été coulé au large de l'Irlande ! Il s'appelait Henri.

Émery croit un instant qu'il va défaillir. La coïncidence est trop invraisemblable pour être vraie. Il doit rêver. Il secoue la tête.

— Non, c'est impossible. Henri, c'était mon frère ! Il était aviateur, mais il a été porté disparu : il s'est envolé sans autorisation pour ne jamais revenir.

— L'aviation allemande, la Luftwaffe, est impitoyable. Je ne donne pas cher de sa vie, mais je lui dois la mienne. Ton frère est intervenu pour que je sois tiré des eaux glacées de l'Atlantique[7]. Je lui avais promis que, après la guerre, je partagerais avec lui…

L'Allemand s'est interrompu, de crainte que ces souvenirs troublent l'adolescent. Émery le dévisage avec persistance, la bouche béante. Il n'arrive pas encore à croire que cet inconnu ait pu faire la connaissance d'Henri. En même temps, il l'entend parler de son frère comme d'un héros généreux, et cette révélation le laisse sans voix. Son regard finit par convaincre le prisonnier de poursuivre.

— Ton frère est sans doute mort, alors mon secret te revient. Voici.

Heinrich tire une feuille et un crayon de sa poche. En quelques traits, il griffonne la carte approximative d'une ville. Au-dessus, il écrit *Koenigsberg*. Il retourne son plan et trace celui d'un édifice avant de terminer son dessin par une croix. Puis, il dit, tout bas :

---

7 Voir *Sous le feu de l'ennemi*, tome 1 de la série *Les volontaires*.

— Cache vite cette feuille dans ta chemise. Ne le dis à personne. C'est le plan qui indique l'endroit où se trouve mon trésor. J'avais promis à ton frère que je le partagerais avec lui.

— Un… trésor? bafouille le jeune Émery, incrédule.

— Tu ne sais pas combien nous avons pu piller de maisons, au début de cette guerre. Les Juifs arrachés à leur foyer ont laissé derrière eux bijoux, tableaux, livres anciens… J'ai caché ma part du trésor dans ma vieille maison familiale de Koenigsberg. Tu iras le chercher, tu le ramèneras et nous le partagerons. Qu'en penses-tu?

Dans sa tête, Émery se dit que cet Allemand, si gentil qu'il puisse paraître, est complètement fou. Il se ressaisit, remercie l'homme sans répondre à sa question et se fait raccompagner par l'un des gardiens postés aux quatre coins de la grande salle.

L'adolescent marche lentement, les mains plongées dans son manteau rapiécé, tenant au creux de sa paume gauche cet étrange document que lui a laissé Heinrich. Arrivé devant la maison familiale, il fouille dans la boîte aux lettres. Il en retire une enveloppe adressée à son attention, qu'il décachette avec empressement pour la lire à la lueur de la lune. C'est un message de son cousin Laurent, officier d'aviation. Celui-ci arrivera bientôt au chalet de ses parents, au lac Nairne, dans Charlevoix, et il lui demande de le rejoindre là-bas dès que possible. L'affaire est suffisamment urgente pour qu'il ait joint à sa missive un billet de train et de l'argent de poche.

Émery n'arrive pas à se souvenir de la dernière fois où il est sorti de ce village. Résolu, il pénètre dans la maison et fonce vers sa chambre pour y préparer une valise. Il n'attendra pas le lendemain de Noël pour rejoindre Laurent.

14

Le Stalag 8b

Lamsdorf, Pologne – janvier 1943

À l'intérieur de la prison militaire de la ville de Lamsdorf, qu'on appelle le Stalag 8b[8], sont enfermés des militaires venus d'Angleterre, de Nouvelle-Zélande, d'Australie, des États-Unis et des Indes britanniques, sans oublier les nombreux soldats canadiens, faits prisonniers à la suite du désastreux débarquement de Dieppe. Cette prison est en réalité une succession de baraques trapues, dans lesquelles les soldats captifs vivent et jouissent d'une certaine liberté. Ils ont le droit de conserver leur uniforme et de se déplacer à leur guise, à condition d'être au garde-à-vous dès le réveil pour le premier décompte de la journée. D'ailleurs, gare à ceux qui traînent au sortir du

---

8 *Stalag*, pour *Stammlager*, est un mot allemand désignant un camp ordinaire de prisonniers de guerre.

lit : un gardien particulièrement coriace les incite à se lever à coups de crosse de revolver. Chaque jour, la vie du camp recommence, semblable à celle de la veille, suivant son cours jusqu'au soir, alors que tous les prisonniers sont une fois de plus recensés par leurs geôliers.

Les captifs sont entassés dans les bâtiments. Ils sont près de trois cents à dormir dans des lits à étages infestés de parasites, séparés par de grossières planches de bois. Certains jardinent, d'autres lisent dans une petite bibliothèque improvisée, mais tous attendent la visite des représentants de la Croix-Rouge, qui apportent des lettres et des colis contenant des provisions. Toutefois, avant de parvenir aux prisonniers, ces derniers sont souvent pillés par les gardiens, eux aussi rationnés et amaigris par les rigueurs de la guerre.

La vie est si monotone que certains captifs font tout pour s'amuser aux dépens de leurs gardes. Avec les croix brodées sur les colis, ils se bricolent des brassards et se font passer pour des agents de la Croix-Rouge. Trompées, les sentinelles les laissent alors sortir par la guérite. Retenant leurs rires, ces astucieux soldats croisent l'aigle de bronze trônant au poste de garde, puis vont au village, échangent leurs rations sur le marché noir et reviennent avant le décompte de la fin de la journée. Car tous ne sont pas faits pour s'évader, et rares sont ceux qui tentent le tout pour le tout afin de fuir la détention. Fuir la prison, c'est plonger dans l'inconnu, dans un territoire hostile où l'on ne parle pas la langue de ceux qui l'habitent.

Dans ce camp, on ne tue pas les prisonniers. Certains sont parfois battus, tandis que d'autres se retrouvent au pain sec et à l'eau. Néanmoins, lorsque l'un d'eux meurt, des obsèques sont célébrées avec une haie d'honneur à laquelle participent parfois les gardiens. Le respect militaire est plus important que les querelles politiques.

C'est dans ce camp d'internement que, malade, Henri est amené.

Pendant tout le trajet qui l'a éloigné du Cantal, il a déliré. À son arrivée au camp, il est immédiatement dirigé vers l'hôpital. Deux médecins discutent devant lui. L'un est Allemand, l'autre un prisonnier britannique.

— Cet homme est squelettique! Il a été battu et torturé. C'est inadmissible, s'indigne l'Anglais. Selon la Convention de Genève, vous devez traiter tous les soldats prisonniers comme s'ils étaient vos propres soldats au repos. Or, vous tenez les Canadiens enchaînés depuis octobre.

— Le führer a appris que des consignes pour attacher les prisonniers allemands avaient été données aux Canadiens à Dieppe, ce qui va à l'encontre de cette même convention. Pour ce qui est de l'état du prisonnier… eh bien… Dès que les SS ont su que ce garçon était un aviateur canadien et non un résistant français, ils l'ont expédié ici.

— Dans un piteux état. Je suis bien content que mon pays ait signé cette convention.

L'Anglais soupire. Après quelques discussions, il obtient des autorités de la prison la permission qu'un prisonnier québécois tienne compagnie au nouveau venu. Celui-ci se nomme Cyrille Dubois et il est convaincu d'avoir vu le malade dans la maison où il s'était réfugié près de Dieppe. Il le veille donc assidûment. Il faut ainsi quelques jours à Henri pour que la fièvre baisse et qu'il revienne à la raison.

— J'ai peine à croire que je retrouve mes sens, balbutie-t-il, en reconnaissant à son tour Dubois, qu'il avait vu se faire arrêter chez les Bellec.

Les deux prisonniers nouent rapidement une relation fraternelle et se racontent leur vécu des derniers mois. Les jours passent, et le visage d'Henri recouvre bon teint, le rose remplaçant sur ses joues les hématomes et les coupures.

— Ne sois pas trop pressé de quitter ton lit d'hôpital, lui conseille le fantassin. Dans le camp, nous avons les mains liées en permanence. Le simple fait d'aller aux toilettes est un calvaire.

— Il y a des limites à prolonger la durée de ma convalescence : je ne peux pas faire semblant d'être malade.

— Dans ce cas, il faudra que tu tentes de t'enfuir, dès que tu seras remis sur pied.

Cette déclaration achève de réveiller l'esprit combatif de l'aviateur, dont les yeux se mettent aussitôt à pétiller. L'appel de l'évasion, c'est l'envie de provoquer l'adversaire, de lui désobéir, de lui déplaire. C'est l'appel au devoir du soldat, soit de tout tenter pour retourner en poste. Comme s'évader nécessite un grand effort de planification, c'est aussi une occasion de passer le temps, de faire marcher ses neurones, de trouver un stratagème original pour se faufiler entre les mailles d'un filet gardé par des soldats armés. Et même si, au camp, peu de prisonniers ont eu jusqu'ici le courage de répondre à cet appel, il aurait fallu ligoter les deux Canadiens dans une chambre forte pour les empêcher d'agir.

Ainsi, moins de quinze jours s'écoulent avant qu'Henri, enfin sorti de l'infirmerie, n'échafaude avec Cyrille un plan pour quitter le Stalag 8b. Entre les branches, ils avaient entendu parler d'un groupe secret qui s'était formé dans le camp de prisonniers. Fébriles, ils rencontrent donc ce « comité d'évasion », dont le travail consiste à autoriser les meilleurs plans des détenus séduits par l'idée de la fuite ; ce « comité » fournit les outils nécessaires à la réalisation de leur projet.

— Je ne veux pas vous décevoir, messieurs, mais ce sera difficile. Récemment, deux de nos hommes ont cherché à se faire passer pour des villageoises venues visiter les lieux en se déguisant en femmes, mais ils ont été démasqués. Nos gardiens se méfient.

— Les *Fräulein* allemandes ont un petit quelque chose qui manque aux soldats canadiens, *sir*… répond Cyrille à la blague en s'adressant à l'officier qui dirige le comité d'évasion.

— Je préfère la méthode classique : creuser un tunnel, remarque Henri.

L'aviateur expose son plan. Bien qu'audacieux, celui-ci est accepté. Pour en assurer le succès, le jeune homme identifie l'endroit sur le terrain où l'écart entre les baraquements et la clôture est le plus étroit. C'est là qu'ils excaveront le sol. Lorsqu'ils auront installé une trappe secrète dans le plancher d'une baraque, il leur faudra creuser à l'aide de pelles improvisées et étayer les murs et le plafond du tunnel grâce à des planches arrachées aux lits.

— *Yes, my boy*, dit l'un des membres du comité, mais il faut trouver un endroit pour cacher la terre retirée du souterrain que vous creuserez.

Henri suggère que celle-ci soit envoyée dans les latrines. Personne n'osera y plonger le nez. Le tunnel, de plusieurs mètres de long, aboutira de l'autre côté de la clôture, à l'orée de la pinède qui ceinture le Stalag 8b.

Durant les jours qui suivent, Henri, Cyrille et quelques volontaires mettent tour à tour la main à la pâte pour gratter la terre froide et la pierre, dont ils se débarrassent en les mélangeant au contenu de leur pot de chambre. Les chaînes qu'on leur passe aux poignets ne les embarrassent pas : les boîtes de conserve expédiées par la Croix-Rouge sont accompagnées de petits ouvre-boîtes qu'ils utilisent comme clés pour déverrouiller leurs menottes à l'insu des geôliers.

Creuser un tunnel avec des planches, des cuillères et des ongles nécessite de la patience et un brin d'ingéniosité. Pendant que, telles de vaillantes fourmis, un groupe de prisonniers travaille à ce projet, un autre bricole deux mannequins avec des chiffons, du papier, de la cire… Placés au milieu des rangs, ces pantins de fortune serviront à tromper les gardiens lors du décompte du matin et du soir. Au mieux, ils retarderont l'alerte pendant quelques jours, le temps que les évadés se fondent dans la nature.

Après plusieurs semaines de labeur, l'étroite galerie souterraine est prête. Ce fragile ouvrage n'a pas été conçu pour les claustrophobes : il faut y ramper comme un ver pour atteindre l'air libre. Quant aux mannequins, ils sont camouflés sous les lits, en pièces détachées. Pour terminer les préparatifs, plusieurs soldats ont mis de côté une portion de leurs rations, question d'assurer aux deux fugitifs des réserves de nourriture suffisantes pour quelque temps.

Alors que tout porte à croire que le plan d'Henri aura le succès escompté, voilà que Dame Nature s'en mêle. La veille de leur évasion, tous les détenus sont appelés dans la cour pour le décompte quotidien des prisonniers. L'épreuve est désagréable : une pluie froide tombe à torrents sur toute la région de Lamsdorf. Ce qu'Henri appréhendait se produit : cette averse continue de détremper la terre. En quelques heures, le tunnel se transforme en conduite d'eau et, au bout de quarante-huit heures de déluge, la structure s'affaisse, créant une longue crevasse dans l'arrière-cour de la prison. Une sentinelle allemande découvre l'astuce lors de sa patrouille nocturne.

En plein cœur de la nuit, les résidents de la baraque dans laquelle a été creusé le passage secret sont réveillés et traînés cavalièrement dans la grande cour. Au garde-à-vous, sous les ordres scandés à tue-tête, ils se tiennent le plus droit possible. La pluie qui tombe toujours pénètre leurs vêtements. En quelques instants, ils sont transis, claquant des dents, tandis que l'humidité, impitoyable, s'attaque à leurs os. Un officier capable de mâchonner un magma d'insultes dans un anglais approximatif joue avec leur patience. Entre chaque harangue, il retraite dans ses quartiers, les laissant croupir en rang sous cette douche froide.

Un de ceux qui ont aidé Henri et Cyrille murmure :

— Il veut que les coupables se dénoncent. S'il n'obtient pas ce qu'il désire, nous serons tous confinés au bâtiment pour dix jours. Au pain sec et à l'eau, sans savon.

Cyrille, qui n'en peut plus de sentir l'eau glacée couler sur son visage, maugrée entre ses dents :

— J'ai envie de lever la main, dit-il. Au moins, on en finirait avec cette torture. Ça fait trois heures qu'on nous retient sous ce déluge.

—Pas question que tu bouges, réplique un autre, toujours à mi-voix. Nous sommes solidaires.

— *Schweigen*[9] ! crie l'Allemand pour réclamer le silence.

9 *Silence*, en allemand.

— Merde ! Il pourrait nous laisser retourner dans nos cabanes ! lâche Cyrille, n'ayant pas entendu le pas du garde qui surgit au même instant derrière lui.

Le soldat n'est pas plus enchanté que les prisonniers de devoir veiller en uniforme, en pleine nuit et sous l'orage. Irrité, il assène un coup de poing à Cyrille, qui tombe à la renverse. Deux autres captifs se chargent de ramener leur confrère à son lit.

L'aurore venue, constatant que les occupants du camp ne révéleront pas le nom des artisans du tunnel, l'officier ordonne qu'une conséquence collective soit imposée au groupe récalcitrant.

Amers, mais satisfaits d'avoir protégé les leurs, les prisonniers retournent dans leurs quartiers, épuisés et transis.

De son côté, Henri jongle avec le découragement et le désir de reprendre là où la pluie a interrompu son plan. Il veut s'évader. Il le faut. Il le doit.

15

Contre-espionnage

Lac Nairne, Québec, Canada – janvier 1943

— Alors c'est vrai, il est vivant?

Laurent Léveillée doit calmer les ardeurs de son cousin Émery. En arrivant au chalet où l'adolescent l'attendait, il s'est d'abord excusé de l'avoir laissé seul, puis il lui a annoncé qu'Henri n'avait pas trouvé la mort lors du débarquement de Dieppe, mais…

— Nous avons perdu sa trace en plein cœur de la France occupée. Selon nos sources, il aurait été pris dans une embuscade tendue par des nazis.

— Henri fait partie de la Résistance! C'est incroyable!

— C'est extrêmement dangereux! précise Laurent. Il n'y a pas lieu de se réjouir. Combattre les nazis dans l'ombre est encore plus périlleux que de le faire aux commandes d'un avion de chasse.

Malheureusement, chacune de ses tentatives pour ramener Émery à la raison accroît au contraire l'enthousiasme de celui-ci. Idéaliste, le garçon est subjugué : son frère est un héros. Qu'il soit encore vivant tient du miracle ! Le jeune Léveillée bondit de joie dans le salon. Autoritaire, Laurent l'attrape par un bras, mais son cousin se dégage, lève les mains au ciel, sautille, valse.

J'aurais moins de misère à dompter un lion ou à mettre un bataillon complet de sauterelles au garde-à-vous, pense l'officier, découragé. Soudain, l'adolescent s'immobilise. Il déclare :

— Il faut le sortir de là. Il faut le ramener en Angleterre !

— C'est ce que nous avons essayé de faire, et c'est ce que je me tue à te dire, finit par lancer Laurent, à bout de souffle.

— Alors ? Qu'est-ce que vous attendez ?

— Cette tâche n'a rien de facile. La France est dominée par l'armée et la police d'État d'Hitler. Les Français sont divisés : certains

150

collaborent avec l'ennemi et d'autres, avec peu de moyens, tiennent tête aux Allemands en commettant de petits attentats, en accumulant des armes, en aidant des pilotes comme ton frère à sortir de la France ou en nous fournissant des renseignements. Sauf que maintenant, nous avons complètement perdu la trace d'Henri. Si ton frère se trouve en prison, il faudra attendre le prochain rapport de la Croix-Rouge pour le savoir. Et s'il utilise une fausse identité, autre que celle qui lui a été attribuée, il nous sera impossible de le retrouver.

— Pourquoi aurait-il changé son nom ? demande l'adolescent.

Laurent se mord les lèvres. Il hésite, craignant un second excès d'enthousiasme de la part d'Émery. Puis, il lui avoue :

— Parce que ton frère a eu une formation d'espion, et…

— Henri, un espion ! Mais c'est formidable !

Tout à sa joie, Émery n'a pas remarqué l'arrivée d'un troisième homme dans la pièce. Celui-ci a pris le temps de retirer son lourd manteau, de se déchausser et de tout poser près du poêle, dans la cuisine, avant de marcher jusqu'à un fauteuil placé dans un coin du salon. Passant lentement sa longue main dans ses cheveux, il n'a pas dit un mot, se contentant de dévisager, le front plissé et le regard sérieux, ce garçon euphorique.

— Émery, voici mon voisin, Émile Cardinal, arrivé directement de Londres en passant par Québec. Émile, voici Émery, le frère d'Henri.

Cardinal quitte son siège. Tout en tendant la main au jeune Léveillée, il s'adresse à son ami Laurent, laissant transparaître une pointe d'énervement :

— J'ai déjà perdu Henri en plein cœur de la France occupée. Je me demande si ça vaut la peine de mettre son frère dans le coup.

— Je t'assure que c'est pour le mieux, réplique Laurent, piqué au vif.

— Hé! Que signifient ces cachotteries? Pourquoi ne devais-je pas être mis au courant du sort de mon frère?

— Pour ne pas te donner de faux espoirs, répond Émile en jetant un œil par la fenêtre. Tiens, on dirait que le ciel demeure clair.

— Il faut comprendre qu'Henri est loin d'être sorti du pétrin, ajoute Laurent.

Émile Cardinal poursuit, sans cesser de regarder à l'extérieur :

— Heureusement, il a suivi une solide formation militaire, et nous lui avons enseigné les principales techniques que doit connaître un bon espion. Mais là, il est introuvable. Ça coûte très cher de former des aviateurs, des agents secrets…

— Raison pour laquelle il faut le sortir de là ! insiste Émery.

— Dis, Laurent, le jeune est un peu trop emballé. Tu ne pourrais pas lui demander de se taire ? S'il s'imagine qu'il suffit d'envoyer un billet d'avion aux nazis pour qu'ils nous retournent Henri…

Les cousins Léveillée ont remarqué à quel point Émile est nerveux. D'ordinaire impassible, il se montre tranchant dans ses propos et facilement irritable. Quelques mois auparavant, tout le monde aurait pu croire qu'à force de travailler avec les Britanniques, leur flegme légendaire avait déteint sur lui, mais ce soir…

— Il faut le comprendre, Émile : il vient d'apprendre que son frère n'est pas mort ! réplique Laurent pour défendre le jeune garçon.

De toute façon, nous avons une mission et Émery nous accompagne. Tu étais d'accord, nous en avions discuté.

Émile se renfrogne.

— Oui, bien sûr. Mais c'est risqué.

— Une mission ? demande Émery.

— Quoi ? Tu ne lui as pas dit ?

Laurent entreprend d'abord de calmer Émile, qui avoue finalement que la tâche à accomplir l'inquiète au plus haut point. Le jeune Léveillée lance :

— De quelle mission s'agit-il ?

Reprenant son sang-froid, le capitaine d'aviation s'assoit dans le fauteuil de velours qu'il avait délaissé. Les cousins, eux, prennent place dans une confortable causeuse pour écouter l'histoire d'Émile.

— L'automne dernier, un sous-marin allemand a déposé un espion sur les berges de New Carlisle, dans la baie des Chaleurs. L'homme, un certain Werner von Janowski, est descendu à un hôtel. L'employée a trouvé cet individu étrange : son accent, son odeur d'huile à moteur et sa monnaie canadienne périmée en faisaient un énergumène de première classe. Alerte et intelligente, la jeune femme a joint la police, et le suspect a été intercepté dans un train, quelques heures plus tard. Il n'a pas résisté à son arrestation. Tout a semblé si facile que nous aurions pu croire que Janowski était un poltron qui ne cherchait qu'à fuir l'Allemagne.

— Ça ne tient pas la route, déclare vivement Émery. Un homme ne risquerait pas sa vie à bord d'un sous-marin allemand pour ensuite se laisser repérer facilement dans le premier hôtel où il descend. Surtout si c'est un espion !

— Très juste, répond Émile, surpris par la vivacité d'esprit du garçon. Une théorie s'est mise à circuler dans les services d'espionnage canadiens : en se faisant attraper, Janowski permettait de laisser un autre espion dans l'ombre, débarqué au même moment, et sans doute plus subtil.

— Tout ce que nous te racontons là est ultra-secret, et nous nous attendons à ce que tu fasses preuve de la plus grande discrétion, ajoute Laurent. Émile fait partie des réseaux d'espionnage canadiens et il a retrouvé la trace de cet homme.

— C'est exact. J'ai obtenu l'information, alors que je m'apprêtais à revenir au Canada. Je sais où il habite, et j'ai entendu dire qu'il allait bientôt quitter sa cachette. On m'a chargé de m'occuper de cette affaire, mais on refuse de me fournir les ressources nécessaires, car je n'ai pas réussi à prouver ce que j'avance.

— Pourquoi ne pas simplement le dénoncer à la police? demande Émery.

— Impossible. Cet homme est tout l'opposé de Janowski. Il parle bien le français, possède de faux papiers et pourrait facilement disparaître dans la nature. Il faut donc le prendre par surprise. Dès cette nuit! Émery, sais-tu ramer?

16

Chasse à l'homme

Saint-Joseph-de-la-Rive, Québec, Canada

Le soleil se couche tôt en ces premiers jours de l'année 1943. Bientôt, une lune pleine veillera sur Émery, Laurent et Émile dans un ciel dégagé. La température froide n'a rien pour enthousiasmer les trois hommes, qui ont chargé l'embarcation de vêtements de rechange, de lampes-torche et d'armes. Celles-là, Émile les garde avec lui à la prouc. Assis côte à côte, les cousins Léveillée rament dans cette partie du fleuve où dérivent de grosses pièces de glace, qui viennent sourdement cogner contre leur barque.

— Il aurait mieux fallu monter en voiture et traverser le pont de Québec, puis revenir par la rive sud. Bientôt, on ne verra plus rien, se plaint Laurent.

Émery, lui, ne se lamente pas. Il rame en silence et écoute attentivement les ordres d'Émile.

— Tais-toi, Laurent. Je te répète que nous n'aurions pas eu le temps de faire toute cette route. Saint-Roch-des-Aulnaies est à quelques minutes d'ici. Mais ramez, bon sang, ramez! Le courant nous fait dévier!

Émile a qualifié son plan d'audacieux. Laurent, d'aventureux. Émery, lui, ne s'est pas prononcé, trop absorbé par les consignes du capitaine Cardinal. Il ne sait pas quoi dire : il n'a jamais vécu ce genre d'expérience. Leur chef a convaincu un pêcheur de Saint-Joseph-de-la-Rive de sortir sa barque, de la poser dans les eaux glaciales du fleuve et de la lui laisser, afin que Laurent, Émery et lui puissent traverser le fleuve pour accoster en face où, selon ses informations, se cache l'espion allemand. C'est aussi là que doit les attendre celui qui a avisé Émile. Tous les quatre, ils cerneront alors la maison, feront prisonnier l'individu et, grâce à la voiture de leur informateur, l'emmèneront jusqu'à Montmagny, où l'individu sera interrogé.

— Comment s'appelle-t-il, le type qui a dénoncé le Boche?

— Secret professionnel, Laurent, rétorque Émile. Tais-toi et rame.

Le sang-froid du capitaine impressionne Émery, tandis que l'ambiance mystérieuse qui règne autour de cette opération confidentielle l'emballe! Le désir de se sentir utile, de faire bonne figure devant ces militaires, et l'idée de s'approcher ainsi de la vie que mène son frère aîné, tout cela l'exalte. Si bien que le froid, la peur des eaux profondes et la crainte de l'inconnu s'étiolent à mesure que les coups de rame dans le fleuve Saint-Laurent éloignent leur embarcation des quelques lumières de la rive nord.

Saint-Roch-des-Aulnaies est tranquille. La petite municipalité s'est endormie en même temps que le soleil. L'ombre de son église et de ses clochers, comme un immense navire pourvu de deux mâts, semble flotter sur les eaux pour guider une ribambelle de petites maisons s'étirant vers l'ouest. Soudain, la coque de leur embarcation heurte une surface dure : c'est l'épaisse croûte de glace qui recouvre la batture. Émile lance un grappin, puis tire jusqu'à ce que leur barque s'immobilise entre deux de ces monumentaux rochers de glace. Il met pied à terre, se retourne et lance un appel discret avec sa lampe. Puis, les deux autres le suivent, ramassant chacun un fusil.

— Tu as déjà été à la chasse, Émery ? demande Laurent.

— Oui, oui, bien sûr, ment l'adolescent.

— Nous allons nous cacher dans ce verger, le temps que j'appelle mon contact, les informe leur chef.

Émery se demande pourquoi ils doivent se cacher. Après tout, il fait pratiquement noir. Il scrute les alentours. La lune étire les bras arqués des pommiers endormis. En haut de la côte, une grande maison de ferme éclaire faiblement la plaine enneigée qui descend vers le littoral. Devant celle-ci se trouve une humble demeure de bardeaux, chenue et silencieuse. La partie avant est plongée dans la pénombre, mais dans une seconde section à l'arrière, une fenêtre semble veiller sur la prairie. À leur gauche, une autre maisonnette leur tourne le dos. Dans cette direction, une petite lumière clignote à trois reprises.

Émile Cardinal répond au signal, et une ombre s'approche. Tout comme eux, le nouveau venu est tellement emmitouflé qu'ils ne

160

distinguent pas son visage. Il leur tend une grosse mitaine qu'ils serrent par politesse. Hâtif, Émile escamote les présentations, se contentant de dire que l'homme s'appelle Philippe. Ce dernier leur apprend que la partie avant de la maison de bardeaux est inhabitée, que l'homme qu'ils traquent se terre à l'arrière et qu'il est sur le point de partir. Selon lui, les deux sections de la maison ne communiquent pas entre elles.

Selon lui, pense Émery, agacé par cette incertitude.

Rapidement, tous les quatre entreprennent d'atteindre la tanière de leur proie. Leurs bottes s'enfoncent dans la neige meuble. Chaque enjambée dans le verger les rapproche de la maison. Enfin, Émile dicte ses ordres :

— Laurent et Émery, placez-vous contre la porte qui donne sur le côté et surveillez la fenêtre à l'est. Je m'occupe de la porte arrière, pendant que Philippe va se poster à la fenêtre ouest. Ne nous occupons pas de la partie avant. Au signal, on enfonce la porte et on entre.

Laurent tire son cousin par le bras et l'entraîne à sa suite. Le garçon demande :

— As-tu déjà participé à ce genre d'opération?

— Pas vraiment, non. Je suis beaucoup plus à l'aise aux commandes d'un avion de chasse.

— Et Henri, tu crois que…

— Oui, Émery, réplique Laurent, irrité. Si ton frère est formé pour les services d'espionnage, il est possible qu'il doive investir des maisons de la sorte, en effet.

— Mais le signal d'Émile, c'est quoi, au juste?

Le signal, c'est un coup de feu qui fait voler en éclats la serrure de la porte arrière et qui autorise les cousins Léveillée à défoncer celle du côté. Deux grands coups d'épaule suffisent à les propulser dans une vaste pièce éclairée par une lampe à l'huile. À l'autre extrémité, Émile et son acolyte, revolver au poing, bras tendus, restent à l'affût du moindre mouvement suspect.

— Philippe, rends-toi à la porte là-bas, ordonne le capitaine Cardinal. Émery et Laurent, demeurez ici et surveillez les environs. Surtout la trappe de la cave. Moi, je monte à l'étage.

Le tapage de leurs bottes résonne dans le bâtiment. Les portes s'ouvrent et claquent dans cette étrange maison qui semble avoir été abandonnée à la hâte. Trop empressé, Émery plonge sa tête dans la cave, mais Laurent le tire par le foulard :

— Tu es fou ? Si l'homme se cache là, il peut te tirer en plein visage !

Mais l'homme ne se trouve pas dans la cave, par ailleurs sans issue. Très vite, les deux espions rejoignent les Léveillée pour émettre ce constat : l'Allemand n'est nulle part dans la maison.

Émery s'impatiente. On lui a fait traverser le fleuve par un froid sibérien pour se retrouver dans un logement vide. Il s'attendait à plus d'action. *Philippe et Émile ont l'air de beaux nigauds,* pense-t-il. *Ils ont laissé fuir un espion allemand !*

— Vite ! s'écrie le contact. Il ne faut pas perdre un instant ! Dirigeons-nous vers la gare de Montmagny. Je suis sûr que c'est là que le Boche se rendra.

Les trois adultes se hâtent, sans remarquer qu'Émery s'est confortablement assis sur une petite chaise de bois, l'un des rares meubles de cette grande cuisine. Laurent revient sur ses pas.

— Émery, que fais-tu ? Il faut se presser !

— Moi, je reste, annonce l'adolescent, son fusil bien en vue sur la table.

— Tu veux rire de moi ?

— Vous viendrez me chercher à votre retour. Je guette la maison. Au cas où votre Allemand reviendrait sur les lieux.

— Ne raconte pas de bêtise ! Même si l'espion revenait, tu ne pourrais pas l'affronter seul. Tu dois nous suivre.

— J'ai dit que je reste ici.

— Ah ! La peste ! gronde Laurent en jetant un œil à l'extérieur. Je n'ai pas le temps d'argumenter avec toi, Émery. Agis comme tu veux, mais surtout, ne bouge pas d'ici et ne fais rien de stupide, d'accord ?

Il me prend pour un enfant, songe l'adolescent en regardant la Chevrolet de Philippe s'enfoncer dans la nuit. Le garçon referme la porte doucement. Sans faire de bruit, Léveillée plonge une bûche dans le poêle et met son fusil en bandoulière. Lentement, il passe de fenêtre en fenêtre, jetant un œil au paysage hivernal. Son cœur martèle sa cage thoracique. Un pressentiment le tient en haleine.

Il n'y a aucune piste dans la neige autour de la maison, excepté les nôtres, pense-t-il. *En plus, la mèche de la lampe à l'huile est encore très longue. Je mettrais ma main au feu que cet Allemand n'est jamais sorti de la maison. Mais où est-il ? Dans un mur ? Dans une armoire ?*

Alors qu'il réfléchit, il discerne un bruit de pas sourd sur le plancher au-dessus de sa tête. Ce son suffit à lui faire grimper l'escalier. Personne.

Soudain, un claquement se fait entendre ! Sec, le bruit le fait sursauter et, pendant un instant, il croit être la cible d'un coup de feu. Mais non, c'est plutôt le son d'une porte, ou d'une fenêtre, qui frappe son rebord.

Le grenier !

Émery lève les yeux et découvre une trappe menant à l'étage supérieur. Dans la pénombre, lui et ses acolytes ne l'avaient pas remarquée. L'adolescent parvient à agripper le cadrage de cette ouverture en sautant, mais le bois cède sous son poids, et il retombe lourdement sur le sol. Pestant contre lui-même, il cherche une table. Il en trouve une tout près et la dispose sous l'ouverture, avant de monter dessus pour rabattre le battant de la trappe. Il se hisse finalement en prenant appui sur ses bras et se retrouve dans une pièce basse qui profite à peine des éclats de la lune filtrant par une fenêtre entrouverte battant au vent.

Avec prudence, Émery étire le cou et regarde par l'ouverture. En bas, un homme court dans la neige vers un boisé.

L'espion !

Le mystérieux individu s'est laissé choir du haut de la lucarne jusque sur le toit d'un appentis, puis a sauté à pieds joints dans un banc de neige. La témérité de cet acte déconcerte à peine Émery, même s'il n'oserait pas faire un tel plongeon. Sans perdre un instant et sans réfléchir, emporté par la frénésie du moment, comme un chasseur qui craint de laisser filer la bête, il met le fugitif en joue, puis fait feu.

Raté.

Après un geste de surprise, l'Allemand disparaît dans les bois. Émery, toujours posté à la fenêtre, le regarde s'effacer, impuissant. Un coup de vent froid venu de la plaine fouette son visage, et une fine neige mouille ses joues qui rosissent aussitôt. Indifférent, il reste immobile, telle une sentinelle.

Toute cette soirée imprègne son âme : l'héroïsme révélé d'Henri, les ordres d'Émile, la mission secrète… L'émotion qui monte en lui, comme la sève d'un arbre au printemps, lui inspire une irrépressible envie de demeurer au cœur de l'action. Toute cette aventure l'a tiré de sa léthargie, lui a redonné vie. Maintenant qu'il a goûté à cela, pourquoi voudrait-il reculer ?

— Ça ne peut pas finir ainsi, murmure-t-il, bien décidé à s'enrôler au Centre d'instruction élémentaire de Montmagny dès le lendemain.

17

Évasion

Breslau, Allemagne nazie (aujourd'hui Wrocław, Pologne) – avril 1943

Les commandos de travail. Quel nom pompeux ! C'est sous cette appellation que l'Allemagne nazie embrigade les prisonniers pour contribuer à l'effort de guerre. Afin de fuir la monotonie de leur détention, les détenus se portent parfois volontaires pour se transformer en manutentionnaires, en ouvriers ou en cantonniers dans des endroits hautement surveillés par l'armée. Certains tentent de profiter de ces escapades ouvrières pour fausser compagnie aux hommes d'Hitler.

Sachant cela, Henri et Cyrille ont soumis un nouveau plan au comité d'évasion du Stalag 8b : il s'agit pour eux de s'enrôler dans l'un de ces commandos de travail. Ils seront alors envoyés dans un atelier ou dans une usine pour y travailler et, de là, ils profiteront des lieux moins contrôlés pour tenter de s'évader. Seulement, les jeunes conspirateurs se trouvent face à un problème : Hitler, sachant que le Canada traite bien les prisonniers allemands en ne les faisant pas travailler, préserve à son tour les Canadiens de ce genre de corvées. Une ruse s'impose alors : Henri et Cyrille échangent leur identité avec deux prisonniers australiens, qui deviennent le pilote Léveillée et le fantassin Dubois, le temps de camoufler la disparition des véritables soldats canadiens.

C'est ainsi qu'un matin d'avril 1943, les deux amis se retrouvent chez Telefunken, une usine spécialisée dans la conception de radars pour l'armée. Pendant les premiers jours, apprendre à faire fonctionner la machinerie occupe toute leur attention. Chaque matin, les prisonniers se plient à la routine : ils sortent des dortoirs sous escorte armée pour rejoindre le poste de travail où ils effectuent toujours les mêmes gestes sur une machine. Leur seule distraction vient des fausses alertes et des simulations en cas d'attaque, puisque les civils qui partagent leur vie ont été avisés de ne pas entrer en contact avec eux. En effet, les détenus ne doivent en aucun cas savoir ce qui se passe à l'extérieur des lieux où on les tient prisonniers. Néanmoins, si les premiers jours de leur arrivée, ces citoyens les observent avec attention, ils s'habituent rapidement à leur présence et oublient de garder leurs distances.

Parce qu'ils parlent français, tout comme plusieurs ouvriers polonais, Henri et Cyrille se lient rapidement d'amitié avec l'un d'eux. Petit, alerte, disparaissant et réapparaissant à tout instant, il s'appelle Marek et agit comme contremaître dans l'établissement. C'est sa façon de s'occuper de l'usine qui a suscité la curiosité de l'aviateur canadien.

En effet, dès qu'il le peut, Marek organise secrètement des opérations de sabotage qui ralentissent la production. Chaîne de montage qui déraille, bloc d'alimentation qui saute, inondation, pièces défaillantes… Les produits qui sortent de l'usine de Breslau constituent un cauchemar pour la Wehrmacht. Un matin, Henri demande à Marek de venir à son poste de travail, prétextant que l'appareil qu'il manœuvre manque d'huile. Au moment où le Polonais se penche pour regarder le moteur, le pilote lui souffle :

— Excellente idée, la panne électrique d'hier. Notre production sera en retard de quelques jours.

Marek peine à retenir un sourire. Se penchant à son tour, le Canadien murmure :

— Dis-moi, si deux ouvriers disparaissaient, il me semble que cela prendrait encore quelques jours de plus pour rattraper le temps perdu, non ?

Cette fois, Marek dissimule son rire en se pinçant le nez. Il n'a jamais aidé un prisonnier à s'évader, mais l'idée l'enthousiasme au plus haut point : quelle bonne façon de se moquer de l'occupant allemand ! Il n'hésite pas un instant : le voilà complice.

Depuis cet épisode, Henri est totalement absorbé par la réussite de son projet d'évasion. Il s'est montré consciencieux et discipliné, à tel point que les gardiens de l'usine ont fini par ne plus porter attention à lui – à son grand plaisir. Il en profite pour jeter un œil partout dans la fabrique. À Telefunken, les ouvriers confectionnent des pièces stratégiques pour la défense militaire du Reich. Pour cette raison, ses installations sont sous haute surveillance. Henri convient rapidement que ce n'est pas à cet endroit qu'il pourra mettre son plan à exécution : il n'aurait pas fait trois pas dehors qu'un gardien lui aurait logé une balle entre les omoplates. Marek lui suggère plutôt de se tourner vers le hangar transformé en dortoir pour les prisonniers. L'endroit, au fond d'une cour d'entreposage, est veillé par des sentinelles armées qui se relaient selon leur tour de garde. Des cabinets d'aisances ont été aménagés à la hâte au début de la guerre dans un enchevêtrement compliqué de poutres et de murs de planches.

Cyrille et Henri se rendent compte très vite qu'une petite fenêtre à bascule est accessible au-dessus de chaque toilette, s'ils se font la courte échelle. En s'y glissant, ils aboutiront sur le toit d'un entrepôt qui, lui, donne sur la rue.

— Et la rue mène au train qui nous rendra la liberté ! s'exclame Léveillée à l'intention de son ami.

Celui-ci, timoré quant au plan audacieux de son camarade, ne partage pas le même enthousiasme que lui. Le souvenir du tunnel effondré et des conséquences de cette première tentative d'évasion le tiraille ; cette fois, l'échec leur coûterait la vie !

— Tu es sûr de ce que tu fais ? dit enfin Cyrille. Une fois sortis, où irons-nous ?

— Nous retournerons dans le Cantal. J'ai quelques comptes à régler avec une certaine Josette. Ensuite, nous rejoindrons le réseau Comète et nous pourrons rentrer en Angleterre, où m'attend un avion prêt à mitrailler le postérieur de Herr Hitler.

Une seule ombre demeure au tableau : les fenêtres à bascule, constituant la porte de sortie des deux Canadiens, ont été sécurisées par un barreau. Il faut qu'ils le descellent en brisant peu à peu le mortier qui le fige dans la brique du bâtiment. Cette opération, qu'ils exécutent en frappant discrètement le ciment avec un tournevis dérobé à l'usine, requiert deux longues semaines de patience... et de visites improvisées au petit coin.

— Il était temps, grommelle Henri en descendant prudemment des épaules de son camarade, une fois leur besogne achevée. D'autant plus que c'est un peu étrange de toujours aller aux toilettes deux par deux.

— Que fait-on de la barre de métal ?

— Déposons-la dans le réservoir des toilettes. Personne ne la trouvera avant que notre disparition ne soit signalée.

Durant les semaines qu'a duré leur labeur, Marek a recueilli pour eux de l'argent afin de payer leur passage à bord d'un train. De plus, il a déniché deux vestes, grâce auxquelles ils pourront avoir l'air de civils.

Le soir même, les Canadiens mettent leur plan à exécution. Cachant dans les poches de leur pantalon quelques aliments soustraits au regard des gardiens, ils ramassent également l'argent donné par Marek. Dans l'enveloppe qui le contient, leur complice a aussi glissé un horaire des trains et un aide-mémoire fait main, sur lequel sont inscrites quelques phrases-clés en allemand. Ces dernières les aideront à passer inaperçus pendant leur fuite. Ils avancent dans le dortoir, entre les lits. Leurs pas sont étouffés par les ronflements. Ils rejoignent les toilettes. Au bout du corridor, la porte donnant sur l'extérieur bat au vent.

— Ça n'augure rien de bon. Il y a peut-être un gardien caché dans un recoin, murmure Dubois en arrivant devant le cabinet par lequel ils espèrent recouvrer leur liberté.

La porte de celui-ci est verrouillée. Henri secoue la poignée avec vigueur et retient un juron entre ses dents.

— Il y a de la lumière sous la porte, l'avertit Cyrille.

— Ah non! Il n'aurait pas pu prendre une autre cabine que la nôtre!

Au même moment, ils entendent une voix venant de l'autre côté de la cloison :

— *Einen Moment ... Warten Sie*[10] !

— C'est un gardien! Il va nous trouver ici, habillés et prêts à nous enfuir! souffle le complice d'Henri, paniqué, en retournant à reculons vers le dortoir.

Mais le soldat allemand referme la lumière et la porte s'ouvre aussitôt. Agacé, l'homme se tourne vers Cyrille en s'exclamant :

— *Was ist Ihr Problem*[11] ?

Seul l'éclairage qui traverse la petite fenêtre permet de distinguer le profil du gardien. Celui-ci n'a pas vu qu'Henri est derrière lui. Le jeune Canadien en profite pour agripper la sangle du fusil de l'Allemand pour l'étrangler. Surpris, l'homme manque aussitôt d'air. Mais la sangle de cuir placée en bandoulière empêche

10 Un moment… Attendez!

11 Quel est votre problème?

l'assaillant d'agir comme bon lui semble et le soldat, un véritable colosse, n'a pas dit son dernier mot. Il saisit Henri par son habit et le soulève de terre, sous le regard impressionné de Cyrille.

Le bruit de la lutte qui oppose les deux ennemis risque à tout instant de réveiller ceux qui dorment dans le dortoir. Pire, un autre gardien pourrait venir à la rescousse de son confrère. L'aviateur, déjà au bout de ses forces face à cet adversaire herculéen, interpelle son ami :

— La... la barre d'acier, dans les toilettes !

Cyrille réagit au quart de tour. Plongeant sa main dans le réservoir, il en ressort la pièce. Il l'utilise comme matraque en l'abattant de toutes ses forces sur la tête de l'Allemand. Celui-ci s'effondre sur Henri.

— Heureusement qu'il ne portait pas son casque pour aller faire ses besoins, marmonne ce dernier en déplaçant le corps inerte du soldat.

Les prisonniers se dépêchent, craignant que l'absence de leur victime n'éveille le doute chez les gardiens du dortoir. Ils bâillonnent l'Allemand et l'attachent à la hâte avec la sangle du fusil, non sans lui retirer d'abord son manteau. Cyrille l'enfile, sur l'insistance de son ami. Ils enferment ensuite l'homme inconscient dans une autre cabine.

Posant finalement ses pieds sur les épaules de son complice, Henri grimpe et traverse la fenêtre sans problème. S'allongeant sur le ventre, il tend ses mains à Cyrille et le tire jusqu'à ce que ce dernier parvienne à se hisser à son tour hors du réduit. Ils referment la fenêtre et, à pas feutrés, ils s'éloignent en prenant soin de ne pas faire résonner leurs chaussures sur la toiture de tôle. Ils attendent que la rue soit déserte pour se laisser glisser le long du mur de briques de l'entrepôt, après quoi ils empruntent d'un pas leste le chemin qui conduit à la gare.

— Je ne m'attendais pas à ce que ce soit si facile, déclare Henri, réjoui.

— Parle pour toi ! Tu es un véritable funambule. Moi, j'ai le vertige.

— *Heil Hitler*, lance à ce moment une voix dans l'ombre.

Les évadés sursautent. Les mots prononcés dans la pénombre leur glacent le sang. Cyrille saisit Henri par le coude avec une telle force, que ce dernier retient un cri avant de répondre en direction de l'ombre furtive dont provient la voix :

— *Heil Hitler. Guten Abend[12] !*

L'ombre disparaît dans la nuit.

— Dans la noirceur, il nous a pris pour des soldats allemands.

— Quelle horreur, souffle Cyrille en pressant le pas.

— Ici, ce serait surtout une horreur si l'on nous prenait pour des soldats canadiens. Tu comprends pourquoi je voulais que tu portes ce manteau. Maintenant, dépêchons-nous pour atteindre la gare. Un train quitte Breslau dans une heure !

Avant de pénétrer dans l'édifice de la gare, Henri révise les quelques phrases griffonnées par Marek, puis il ordonne à Cyrille de jeter le manteau. Fin prêts, ils apparaissent dans la lumière et parcourent la distance qui les sépare du wagon où ils montent sans avoir été inquiétés. Malgré l'heure tardive, celui-ci est bondé.

12 Bonsoir !

Les deux fugitifs s'assoient bien inconfortablement sur un banc, qu'ils doivent se résoudre à partager avec un troisième voyageur. C'est alors qu'Henri remarque, au bout de la voiture, deux hommes en imperméable de cuir noir, un feutre sur les yeux. Il se souvient d'avoir vu des hommes vêtus de la même façon à Paris : il s'agit d'agents de la Gestapo.

Il n'est pas le seul à avoir identifié les gestapistes et devine la nervosité de Dubois. Celui-ci le questionne, tout bas :

— Dis, ces gaillards, là-bas, on dirait qu'ils cherchent des suspects partout.

— Tu crois ? Mais non, voyons ! ment Henri pour dissimuler sa crainte, de peur d'inquiéter davantage son ami.

Le train s'ébranle avant de s'élancer dans la nuit. Le convoi atteint bientôt sa vitesse de croisière. Soucieux de ne pas laisser paraître leur appréhension, les Canadiens s'ingénient à se murmurer des histoires qui n'arrivent pas à les faire rire. Leur voisin de banquette est un enfant. Le jeune voyageur est seul. Ils lui donnent tout au plus douze ans. Le garçon s'est endormi, sans doute épuisé. Sa tête, agitée par les soubresauts du train, tombe sur le bras de

Cyrille. Ce dernier esquisse un signe à l'attention de son ami : le garçon porte une veste sous son manteau élimé et sale : c'est une veste sur laquelle est brodée une étoile jaune.

— Dessus, c'est écrit Jude, constate Cyrille tout bas.

Henri perd son sang-froid. Il revoit les enfants traqués de Saint-Cernin qui cherchaient à se sauver, prêts à tout pour ne pas tomber entre les mains des tyrans. Ces jeunes, que sont-ils devenus ? Ont-ils atteint les camps d'extermination dont lui parlait son ami Nazaire ? L'aviateur comprend que ce jeune voyageur est aussi en danger. Son pouls s'accélère.

Au même instant, les deux imperméables quittent leur siège et se dirigent, malgré le rail chaotique, vers les Canadiens. Cyrille se prépare à prendre la fuite, mais au moment où il veut quitter son siège, l'un des deux agents pose une main sur son épaule pour arrêter son mouvement. Même s'il ne saisit pas les mots qu'ils prononcent, le fugitif comprend que ces types n'ont pas affaire à eux, car ils les invitent à garder leur place. Les agents secouent plutôt l'adolescent. Celui-ci maugrée dans son sommeil, mais son réveil le plonge dans le pire des cauchemars. Les gestapistes s'adressent à lui avec agressivité et le tirent dans l'allée comme un vulgaire sac de sable. L'adolescent riposte et crie, mais un agent le frappe au visage du revers de la main. Le garçon se tait. Cyrille retient Henri, visiblement tourmenté par la scène : ce n'est pas le moment de jouer au héros.

Dans tout le wagon plongé dans la pénombre, personne ne s'interpose. La plupart des gens éveillés détournent le regard ; ils demeurent calmes. Quelques-uns sourient. Les gestapistes adressent une série de questions sommaires au jeune, qui répond en marmonnant. Les Canadiens, restés muets, observent la scène. Ils ne comprennent pas l'allemand, mais ils peuvent interpréter l'échange : les hommes savent qui est ce garçon. Ils n'ignorent pas non plus l'identité de ses parents. Le ton de leurs questions est effrayant : il intimiderait même un adulte qui n'aurait rien à se reprocher. Mais le jeune voyageur semble résolu à rétorquer par monosyllabes ; il gagne le respect d'Henri, qui est de plus en plus déterminé à l'aider. Mais comment ?

Finalement, les agents se redressent. Sans lâcher le bras du jeune, le plus ventru parle tout bas à son acolyte. L'adolescent réclame quelque chose. Il tire sur son pantalon. Le costaud, après un léger conciliabule avec l'autre agent, se dirige vers l'arrière du wagon avec son jeune prisonnier.

— Il y a sans doute des toilettes au bout du train, murmure Henri. Attends-moi ici.

Avant que son ami ne puisse protester, le pilote emboîte le pas à l'homme qui s'éloigne. Cyrille, demeuré seul, s'inquiète. L'autre individu de la Gestapo s'invite sur sa banquette. Il tend un paquet de cigarettes au fantassin.

— *Nein. Danke*, répond ce dernier, la gorge nouée.

— *Halsschmerzen*[13] ?

Cyrille plisse les lèvres en guise d'approbation, mais en réalité, il n'a rien compris. L'autre, pour une rare fois, sourit à son tour, puis s'installe confortablement et le laisse tranquille. Le fugitif déglutit : il suffit que cet agent lui adresse une question, émette un commentaire ou s'entête à entreprendre une conversation pour que le secret de son identité soit éventé. Par le manteau entrouvert de son nouveau voisin, il remarque la crosse d'un revolver.

---

13 Mal de gorge ?

Effarouché, le pauvre Dubois décide de quitter son siège à son tour et ouvre la portière menant au prochain wagon. Il n'y a aucun soufflet entre les voitures et, dans la nuit noire, une brise froide flagelle son visage. Il pénètre dans l'autre compartiment, chargé comme le précédent de visages anonymes masqués par l'obscurité. Aucune trace d'Henri. Le Canadien trébuche sur un sac mais il retrouve rapidement son équilibre. Il sort et se dirige vers le wagon de queue. C'est alors qu'il sent une main lui attraper la manche. Une voix basse lui parvient malgré le tapage de la locomotive et le grincement des rails :

— Cyrille !

C'est Henri. Il est agrippé à l'échelle à côté de la portière. L'adolescent est près de lui.

— Qu'est-ce que vous faites là ?

— J'ai propulsé le gestapiste dans le vide au moment où il revenait avec le jeune.

— Bravo, idiot ! Maintenant, c'est son complice qui va le chercher.

— Ce n'est pas le temps de s'obstiner, il fallait sauver ce petit.

— Allez, toi, déguerpis ! ordonne Cyrille sur un ton insistant en s'adressant au garçon.

Le jeune décode ses gestes et retourne dans la dernière voiture.

— Et maintenant? demande le fantassin en dévisageant son ami.

Maintenant, ils sont dans de beaux draps! Ne pouvant pas rester indéfiniment entre deux wagons, Henri et Cyrille décident de reprendre leur place, espérant ne pas trop attirer l'attention. Mais le nazi demeuré seul semble en mal de suspects et s'est mis à dévisager les passagers. Ses yeux s'arrêtent sur les deux Canadiens. Il se lève et va à leur rencontre pour leur poser une question qu'aucun n'arrive, bien entendu, à comprendre. Son regard fixe révèle alors le fond de sa pensée : il sait que ces deux hommes n'ont rien en commun avec les autres voyageurs. Un long silence s'ensuit. Une tension palpable éveille le doute des passagers. Sortant lentement de leur torpeur, ils tournent la tête et regardent ces trois individus debout entre les bancs encombrés. Le Luger que le gestapiste tire de son imperméable secoue Cyrille et Henri. Ils lèvent les mains, docilement. Personne ne réagit à bord. Les civils, machinalement, retournent à leur sommeil, à leur tricot, ou à leur regard vague.

— Flûte, siffle Cyrille.

— *Schweigen !* ordonne le policier.

Tenus en joue par l'agent, les deux amis pensent que c'est la fin de leur périple. À l'extérieur, la nuit s'estompe au son du crissement des freins du train rentrant en gare. Les Canadiens s'expliquent mal l'indifférence des passagers. Aucun n'a bronché ni même grimacé lorsque, tour à tour, l'enfant et eux ont été arrêtés.

Mais l'urgence de la situation les presse. S'ils ne font rien, l'arrivée au quai de la gare de Dresde mettra un terme à leur liberté… et peut-être à leur vie. Une cohue se forme à ce moment à la sortie du wagon. Henri et Cyrille voient là l'occasion de fuir. L'agent de la Gestapo leur intime de demeurer à bord, mais ils feignent de ne pas comprendre et se lèvent pour s'engager dans la foule. En les bousculant, un individu saisit Henri par le bras et le tire vivement devant lui, privant le policier de sa proie. Le geste de cet inconnu est courageux, car il peut être accusé de collaboration avec l'ennemi et fusillé sur-le-champ. Cyrille en profite à son tour. Agile, il se faufile dans la masse, et le nazi demeure en arrière, criant des ordres qui se noient dans le brouhaha de la gare.

185

L'ange gardien qui a aidé Henri n'est déjà plus là. Fouillant le tumulte, le pilote reconnaît néanmoins Cyrille et tous deux établissent un contact visuel avant de prendre leurs jambes à leur cou. De peur d'être repérés, ils évitent de se parler et se suivent du regard. L'aviateur entraîne son ami vers le guichet et y achète deux billets pour Bruxelles. Plus tôt ils seront dans une ville francophone, plus vite ils redeviendront anonymes.

Muni des billets et vidé des derniers reichsmarks que lui avait laissés Marek, Henri se dirige vers le train. Toutefois, une jeune femme agitée se jette dans son chemin, trébuche et s'accroche à lui, si bien qu'il échappe sa veste, le carnet de Marek et les billets. Cyrille panique. Il s'élance pour retrouver les effets de son ami, mais un gros homme est déjà occupé à ramasser le tout pour le lui remettre. Dans sa précipitation, le fantassin ne remarque pas que cet individu substitue les billets. Il le remercie, trop soulagé d'avoir non seulement échappé au nazi, mais aussi de tenir entre ses mains sa porte de sortie.

— Je suis désolée, prononce dans un français approximatif la jolie demoiselle qui vient de s'improviser dans le rôle d'obstacle.

— Ça va, ça va, laisse tomber Henri avant de rougir, réalisant qu'il a répondu dans sa langue.

Cyrille intervient à ce moment :

— Tiens, voilà les billets. Tu devrais dire merci à cet homme qui…

— Quel homme? demande Henri en regardant la femme s'en aller à petits pas pressés.

— Je… Il n'est plus là…

— Vite, vite, Cyrille, lâche Léveillée. Ne tardons pas ici. Je suis sûr que c'est un coup monté. Nous sommes suivis. Je pourrais le parier.

— Tu exagères, voyons! Je relève ton pari! Que gages-tu?

— Ma paire de sous-vêtements la plus propre, idiot! Allons, il ne faut pas rester ici! Le train est là.

Le wagonnier attrape les billets que lui tend Henri, mais secoue la tête.

— *Nein! Das sind die falschen Fahrkarten, junger Mann. Die hier sind für den Zug auf dem Bahnsteig gegenüber[14].*

---

14 Non! Ces billets ne sont pas les bons, jeune homme.
   Ceux-ci sont pour le train du quai d'en face.

Henri soupire. Tout ce qu'il comprend, c'est qu'il s'est dirigé vers le mauvais train. Il pivote donc sur ses talons et repart en direction opposée.

— Dépêche-toi, Cyrille ! Il s'apprête à partir !

Très juste : la locomotive siffle, puis donne les premiers coups de roues de son voyage. Les fugitifs se cramponnent à une voiture, aidés d'un wagonnier qui les accepte à bord, poinçonne leur billet et les laisse s'asseoir. Contrairement au trajet entre Breslau et Dresde, ce second voyage se déroule sans incident fâcheux. Le long des voies ferrées, les passagers découvrent les paysages d'Allemagne par un petit matin nuageux. À ce moment, le train croise un convoi militaire ; les chars et les soldats se dirigent en sens inverse. *Sans doute vers la Russie,* pensent Henri et Cyrille. Même si ces hommes en tenue de combat sont leurs ennemis, ils les plaignent en songeant aux horreurs qu'ils vivront sous l'impitoyable tir des Soviétiques. Pourtant, la campagne qu'ils traversent est baignée dans une ambiance à des années-lumière de la guerre : tout est calme, et les villages semblent prospères. Leur décor champêtre se change toutefois en banlieue ouvrière à l'orée d'une ville.

— Nous sommes sans doute arrivés à Leipzig, annonce Henri.

— C'est écrit Berlin ! réplique Cyrille.

— Impossible. Ce n'est pas sur notre chemin. J'ai pris des billets pour Bruxelles.

— Ah oui ? On peut continuer à parier si tu veux. Que mets-tu en gage, cette fois-ci ?

— Ce que tu veux, lance Henri avant d'entrevoir un panneau d'accueil.

Ils sont bel et bien en vue de Berlin.

— Oh non ! Nous nous dirigeons pile vers le cœur du Reich ! C'est impensable ! gémit Henri en se frappant le front.

— Quoi ? Veux-tu dire que nous n'avons pas pris le bon train ? Triple idiot ! À cause de toi, nous nous rendons exactement à l'endroit où nous ne devions jamais mettre les pieds !

— J'avais pourtant demandé deux sièges pour Bruxelles, bafouille Henri en tirant les billets de sa poche.

Seulement, il doit se rendre à l'évidence : il y est écrit *Berlin*.

Le train atteint la fin de la voie : c'est le terminus. Impossible de faire demi-tour. Ils doivent descendre et se fondre dans la foule. Voilà qu'ils se retrouvent sans ressource, dans une ville inconnue qui grouille d'ennemis et qui abrite les plus grands dirigeants de l'Allemagne nazie.

— Idiot, idiot, idiot, ne cesse de répéter Cyrille.

— J'ai compris ! s'exclame Henri. En fait, c'est toi, l'idiot. C'est ce gros homme qui a ramassé les billets, à la gare de Dresde : il t'a berné !

— Il aura pris les nôtres et nous aura tendu les siens par erreur ?

— Pris nos billets, oui. Mais par erreur, certainement pas. Il était acoquiné avec la fille qui m'a parlé en français. Comment savait-elle que c'était ma langue, d'ailleurs ? J'aurais dû m'en apercevoir plus tôt. Ils se sont organisés pour nous bousculer et nous voler, j'en suis sûr !

Cette réflexion suffit à bouleverser le fantassin, qui se voit déjà marcher au bout des baïonnettes de la Wehrmacht ou, pire, du canon d'un revolver de la terrible Gestapo. Henri aussi se montre de plus en plus inquiet. Autour d'eux, la valse des Berlinois, tumulte tranquille et mécanique, les étourdit. Ils ne savent plus où aller. Un instant, l'aviateur croit reconnaître les gares du Québec, avec ses affiches d'incitation à l'enrôlement, l'écho des trains, les portes qui ouvrent et se ferment. Mais l'ombre des uniformes qui arpentent le parquet le ramène à la réalité, et surtout, à l'urgence de trouver une solution avant d'être repérés.

Ses appréhensions se changent cependant en déconvenue lorsque, au moment où ils sortent, deux hommes se rapprochent d'eux et posent une arme à la hauteur de leurs reins.

18

Dans la gueule du loup

Berlin, Allemagne

— Montez dans ce camion, sans dire un mot, ordonne l'un des assaillants avant de refermer sur eux des portières qui les plongent dans l'obscurité.

Le chauffeur démarre et les voilà, plusieurs heures durant, assis sur le plancher d'acier, soumis aux cahots d'un véhicule qui se dirige vers une destination inconnue.

Pour Henri, cet enlèvement ne peut pas avoir été orchestré par la Gestapo. Ce ne sont pas les méthodes de leurs agents. Par ailleurs, il s'agit encore moins de l'armée ou de l'Abwehr, puisque les ravisseurs sont habillés en civils.

— Si nous n'avons pas été enlevés par la police politique, l'armée ou les services secrets, qui peut bien nous en vouloir ?

Cyrille, lui, cherche plutôt un moyen de fuir cette prison ambulante : en vain. Au bout d'un moment, la faim les assaille. Le voyage est long, mais ils sont si épuisés qu'ils finissent par s'endormir d'un sommeil interrompu par des arrêts rapides et des départs intempestifs.

— Quel mauvais conducteur, se plaint Dubois.

Le camion filant à toute allure n'offre aucune chance aux Canadiens de deviner sa destination. Malgré une appréhension qui le tiraille autant que la faim, Henri garde son calme : s'ils avaient été victimes d'un guet-apens organisé par les autorités nazies, on les aurait plongés dans un cachot sombre d'un édifice de Berlin. Or, ils roulent depuis plusieurs heures. De plus, il y a fort à parier que leur vie n'est pas en danger. Autrement, ils auraient été tous les deux liquidés peu après leur enlèvement.

Il ne leur reste plus qu'à patienter. Et à éviter de penser à leur estomac qui gargouille. Quelle heure peut-il être ? Fait-il soleil, fait-il gris ?

— Je suppose que nous traversons la campagne, maintenant, hasarde Henri. Nous n'arrêtons presque jamais.

Le périple tire pourtant à sa fin. Le camion s'immobilise, puis le conducteur passe rapidement en marche arrière, à la surprise de ses passagers ébranlés. Enfin, le véhicule s'arrête pour de bon. Un moment plus tard, les portes s'ouvrent sur une fin d'après-midi dont le ciel bleu et froid brûle les yeux des jeunes Canadiens.

— Allez, descendez! ordonne l'un des ravisseurs d'une voix rauque.

Cyrille et Henri posent leurs pieds sur les cailloux d'une allée boueuse, apparemment victime de travaux interrompus. Ils scrutent les alentours : une plage, la mer. Le vent frais balaie leur épiderme. Ils ont la chair de poule.

— Avancez et rendez-vous sur la plage, ajoute l'inconnu, qui garde sa main près d'un revolver qu'ils ont tous deux aperçu.

Les prisonniers obéissent et marchent jusqu'au sable léché par les vagues. Une portière claque, puis ils entendent le camion démarrer.

— Mais… Ils s'en vont! fait le fantassin en se retournant.

— Attends, Cyrille, reste avec moi et… Hé! Quel est cet édifice?

Derrière eux, un immeuble qui semble s'étirer sur un kilomètre précède une série d'autres colosses de briques beiges du même acabit. Criblé de centaines d'ouvertures dépourvues de fenêtres, comme autant de bouches criant vers le large, le bâtiment ressemble à un imposant mur de six étages veillant sur la mer.

— Où… où sommes-nous ? demande Dubois, inquiet.

— Je n'en sais rien, mais je suis prêt à parier que nous n'avons pas quitté l'Allemagne. Nous serions donc devant la mer Baltique.

Les garçons arpentent le sable de cet endroit désert. Sur la plage abandonnée, seuls quelques oiseaux crient parfois pour répondre au lancinant appel des vagues qui fouettent le rivage.

À nouveau, la faim tenaille les Canadiens. Ils ne savent pas où aller et ils s'inquiètent davantage en raison de cet étrange retour à la liberté qu'à propos de leur récente captivité. Que va-t-il leur arriver ? Plus que jamais éloignés de la France et de l'Angleterre, ils ne peuvent demeurer là éternellement.

— Pourquoi nous? lâche enfin Henri en tapant du talon dans le sable, faisant éclater le masque qu'il s'était composé depuis leur départ de Berlin. Pourquoi nous détourner de notre destination, nous emmener jusqu'ici, pour nous laisser tomber en terre inconnue? Ça n'a aucun sens!

— Qu'est-ce que j'en sais? Peut-être qu'ils nous ont pris pour d'autres…

C'est alors qu'une curieuse voiture ressemblant à un insecte apparaît, légère, sur la crête de la plage. Dans son sillage s'élève un nuage de poussière jaune. Le petit bolide s'approche et freine non loin.

— Attention! Ce sont des ennemis! déclare Cyrille en pointant la Volkswagen.

Mais le visage d'Henri s'éclaire en reconnaissant celui qui tient le volant de l'automobile.

— Nazaire!

— Bienvenue au village-vacances d'Hitler, mon ami! s'exclame le Français en descendant de la voiture.

Il porte un complet d'un tissu fin et des chaussures cirées qui conviennent mal au sol instable de la plage. Il tend sa main à Henri, mais celui-ci reste sur ses gardes.

— Toi, nazi? Te moquerais-tu de moi?

Chambon regarde tout autour de lui, puis, visiblement rassuré, dit :

— J'ai fait exprès de vous entraîner ici. Sur un grand rivage, il y a peu de danger qu'un agent de la Gestapo se cache derrière un mur pour nous épier.

— Alors, c'est toi qui es à l'origine de cet enlèvement! s'exclame Henri.

— Bien sûr! La fille qui vous a bousculés, l'homme qui a échangé les billets… Tout ceci grâce à un réseau de résistance assez efficace. Je ne suis pas peu fier de mon travail! Vous êtes ici dans le plus étrange lieu de tout le Troisième Reich. Cet endroit, on le nomme Prora. Planté sur le littoral de l'île de Rügen, le site devait accueillir les familles allemandes pour des vacances estivales sous le signe du national-socialisme hitlérien. Il s'agit du plus imposant complexe balnéaire jamais construit, mais il est inachevé à cause de la guerre; les travailleurs l'ont délaissé pour aller bâtir des bunkers ou combattre les Russes. Hitler veut en faire le plus grand centre de loisirs du monde, mais il n'arrive même pas à finir l'un des édifices pour en faire un hôpital, alors nous sommes encore loin de venir nous y prélasser en maillot de bain!

— Mais que fais-tu ici, cravaté, au volant de cette petite voiture? Je croyais que tu avais été capturé par les Allemands!

— Je n'ai pas eu une minute de repos depuis cette terrible nuit, confie Nazaire en invitant les Canadiens à monter à bord.

— Mais… Les nazis t'ont bel et bien arrêté, non? Savais-tu que Josette nous avait trahis?

— Oui, oui, répond Nazaire. Quant aux hitlériens, je… travaille pour eux!

La Volkswagen roule maintenant sur un chemin de province. Nazaire, intarissable, explique que des scientifiques avec qui il avait étudié ont appris son arrestation.

— Au début de la guerre, ils ont préféré faire de la recherche et développer des armes pour Hitler plutôt que de se retrouver au chômage comme moi. Du coup, ils avaient de bonnes relations vers qui se tourner pour réclamer ma libération.

— Et les nazis ont accepté? demande Cyrille, surpris.

— Non. J'ai passé une semaine dans un cul-de-basse-fosse, et je croyais bien que j'allais être abattu. Mais un matin, on m'a tiré de là et on m'a expédié ici sous haute surveillance. Un important ingénieur allemand m'a alors offert un choix : le seconder dans ses recherches, moyennant un excellent salaire, ou finir ma vie dans un camp de concentration.

— Donc, tu as retourné ta veste! riposte Henri en se cabrant.

— Hé! Calme-toi! Ma situation est plus compliquée que tu veux bien le croire. J'agis comme agent double pour la Résistance. C'est ainsi que j'ai réussi à te retrouver, par le biais d'un certain Marek. Ensuite, j'ai pu vous faire venir jusqu'ici, toi et Cyrille.

— Tu nous as jetés dans la gueule du loup!

— Au contraire. Je suis en train de vous sauver la vie. Seuls, à Bruxelles, vous auriez vite été repérés. Des traîtres se faisant passer pour des résistants réussissent à mettre en confiance des fugitifs comme vous, avant de les dénoncer aux autorités allemandes, moyennant une récompense. Il faut se méfier de tout le monde. Tu te rappelles les enfants juifs qu'on a accompagnés dans le parc des Volcans ? Ils ont tous disparu. Impossible de les retracer. Si tu veux mon avis, ils ont été…

Nazaire interrompt sa phrase. Ses interlocuteurs ne disent rien, mais ils ont compris. Le silence soudain de leur conducteur devient vite étouffant dans la voiture étroite qui les mène vers Lubmin, une petite ville au bord de la mer Baltique. Toutefois, personne n'ose parler, respectant la douleur que cette oppression exprime. L'automobile, filant à toute allure sur une route déserte et ensoleillée, ne rencontre aucun militaire, aucune sentinelle, aucun policier. Ils semblent seuls au monde.

Les fugitifs restent d'ailleurs bouche bée lorsqu'ils voient, au loin, l'opulente maison vers laquelle ils se dirigent. C'est un manoir plutôt récent, entouré d'arbres et sis au bout d'une longue allée. Nazaire se retourne, dévisage ses passagers et déclare, le regard noir :

— Lorsque les nazis m'ont obligé à travailler pour eux, ils m'ont donné le choix entre cette villa et un appartement à Berlin. J'ai préféré la campagne. Mais ce n'est pas par plaisir que j'habite ici, croyez-moi !

La voiture bifurque et emprunte le chemin d'un garage. Sentant que ses passagers le jugent, le Français poursuit sur un ton crispé :

— Écoutez-moi bien. Je suis obligé de travailler sous les ordres d'un éminent chercheur, Werner von Braun, dans une base de recherche qui s'appelle Peenemünde. C'est tout près d'ici. Je me consacre au projet A4 : une arme secrète commandée par Hitler. J'œuvre à la conception du moteur d'une espèce de torpille aérienne, une fusée qui doit être armée d'une ogive bourrée d'explosifs. Si le projet vient à se réaliser, l'Allemagne pourra expédier une bombe sur la table de travail de Winston Churchill[15] sans que les Anglais la voient venir. Ma modeste contribution, c'est de faire prendre du retard aux opérations : je demande à mes collègues de me fournir des calculs, je perds des documents, je trafique des données. Bref, je sabote les travaux des nazis.

Son discours rassure et amuse tour à tour les deux Québécois. La voiture est maintenant garée, mais Nazaire continue de parler sans en descendre.

---

15 Winston Churchill était le premier ministre de l'Angleterre lors de la Seconde Guerre mondiale.

— Ne riez pas trop. Von Braun est un homme intelligent. Voilà deux fois qu'il découvre mes « erreurs » et me ramène à l'ordre. Il sait que j'agis pour ralentir l'effort de guerre allemand et s'il ne m'a pas encore dénoncé, c'est parce qu'il a beaucoup de respect pour mon talent.

— C'est génial ! s'exclame Cyrille. Et maintenant, pourquoi ne descend-on pas ?

— Je crains que mes patrons n'aient réussi à enregistrer mes conversations dans mon bureau, alors je préfère vous parler ici. De plus, si je vous ai fait venir, c'est pour vous confier une mission.

— Laquelle ?

— J'ai présenté les plans d'un moteur dont la poussée est incroyable, mais dont l'évacuation des gaz est gérée par une chambre à air volontairement mal calibrée. Au décollage, mon sabotage ferait exploser la base de lancement. Si von Braun ne découvre pas ma supercherie, le projet A4 et tout Peenemünde seront paralysés pour au moins six mois. Mais s'il se rend compte que j'ai triché, je suis bon pour le camp de concentration. Ou pire. En temps de guerre, on fusille les saboteurs après un procès sommaire dont la sentence est rédigée à l'avance.

— Qu'attends-tu de nous ? s'enquiert Henri.

— Je protège une autre résistante dans cette maison. Elle se fait passer pour ma femme. Si je suis accusé, elle sera aussi suspectée. Il faudra donc l'aider à sortir d'ici. Elle détient de précieuses informations sur les réseaux d'aide aux Juifs et aux adversaires du nazisme. Je compte sur vous. Heureusement, nous sommes seuls dans la villa : les Allemands n'ont pas placé de domestiques – ou d'espions – avec nous, alors personne ne vous mettra de bâtons dans les roues.

— D'accord, mais comment s'enfuira-t-on ?

— Cette maison, nous l'avons également choisie parce qu'elle a autrefois permis à une famille juive de se sauver; ils avaient aménagé un souterrain qui conduit directement aux boisés. De là, on peut atteindre la voie ferrée, puis la mer.

Tous trois continuent de discuter en marchant jusqu'à la maison. La porte s'ouvre bientôt, laissant s'échapper une voix féminine.

— Nazaire ! Nazaire ! Von Braun a appelé. Il te cherche et il a l'air soucieux. Dis-moi que…

Celle qu'on appelle « Madame Chambon » s'interrompt. En réalité, tout le monde dans le hall du manoir s'est immobilisé. Nazaire est devenu pâle comme un mort à l'annonce de cette nouvelle. Henri, lui, ne souffle mot, surpris de reconnaître Marie Bellec dans le rôle de la tranquille épouse. La jeune fille elle-même demeure interdite en apercevant le Québécois. Quant à Cyrille, il se tait, peu sûr de comprendre ce silence soudain.

— Marie ? Toi, ici ?

— J'allais te poser la même question. Nazaire ne m'avait pas dit que…

— Ciel ! J'avais oublié que vous aviez fait connaissance lors du raid de Dieppe ! s'exclame le Français en se tapant sur le front.

La jeune femme attrape la main d'Henri et fait entrer les trois hommes.

— Maintenant, toute ma famille s'active dans la Résistance, explique-t-elle. Mon père et mon garnement de frère travaillent en Normandie et, moi, j'aide Nazaire ici, en me faisant passer pour sa douce moitié. Nous avons décidé de combattre dans l'ombre, jusqu'à ce qu'on remporte la victoire sur ceux qui ont envahi notre pays.

— Mais c'est une activité dangereuse pour...

— Pour une fille? réplique Marie, tout sourire. Tu es vraiment vieux jeu, Henri Léveillée. Ce sont les femmes qui aident les pilotes d'avion comme toi à se sauver.

— Et Marie est une solide organisatrice! ajoute Chambon.

Mais le temps des retrouvailles est de courte durée. C'est la jeune Bellec qui rappelle tout le monde à l'ordre en reparlant des informations mettant Nazaire en péril. Les évadés doivent rapidement se laver, se raser et se nourrir, ce qu'ils acceptent avec joie.

À la fin du repas, cependant, le bruit de la sonnette les attend. Voilà l'intrus. Voilà ce von Braun. Cyrille et Henri sont poussés avec empressement dans la cuisine, et c'est par l'entrebâillement étroit de la porte qu'ils épient la suite des événements.

Dans le hall surgit un visage surprenant. Léveillée s'attendait à la visite d'un vieux scientifique gâteux au regard sombre, le genre à mélanger des explosifs en ricanant. Von Braun est au contraire un jeune savant d'une trentaine d'années, au regard profond et réfléchi. Loin du maniaque qu'Henri s'imaginait apercevoir, le nouvel arrivant se montre calme et courtois. Malgré tout, la méfiance du Canadien s'accroît, alors que Nazaire et son invité passent devant sa cachette et se retrouvent bientôt derrière les portes coulissantes du salon, de l'autre côté de la cuisine. Très vite, Henri presse son oreille contre le mur. La voix de von Braun retentit :

— Nazaire, vous me décevez. Énormément. Peu importe vos convictions, j'aurais imaginé que votre amour de la vie vous aurait dissuadé de sacrifier la vôtre au nom d'une cause perdue d'avance.

— Von Braun, je ne suis pas au service de l'Allemagne nazie. Vous avez découvert ce… cette… cette erreur sur mes plans. Soit. Corrigez-la et laissez-moi tranquille.

— Je l'ai fait assez longtemps déjà. C'est la guerre, Nazaire, et je suis à la fois chercheur et officier. Je n'enlève pas ce chapeau à volonté. Votre planification d'actes de sabotage menace la victoire de l'Allemagne, mais il y a pire : votre trahison met en péril la vie de mon équipe et la progression de mes recherches. D'ailleurs, vous n'ignorez pas qu'après la guerre, les fusées répondront à d'autres ambitions.

— C'est ça, c'est ça. Vous irez fonder des colonies de vacances sur la Lune ! Ou des camps de concentration sur Mars, déclare le Français sur un ton moqueur.

— Nazaire, modérez vos propos ! Cela pourrait vous coûter cher !

— Menaces et intimidation ! C'est ce sur quoi reposera votre œuvre si vous continuez à travailler pour de tels fous. Je préfère retourner dans ma vieille maison du Cantal et ne plus préparer votre gloire d'après-guerre, car cela n'arrivera pas. On vous aura…

— C'est le dernier mot que je voulais entendre, tranche Werner von Braun, visiblement déçu. Vous avez choisi votre sort. Dès cette nuit, j'enverrai une voiture qui viendra vous chercher, votre épouse et vous.

Le chercheur allemand sort en coup de vent. Nazaire apparaît ensuite dans le hall.

Henri ne comprend pas pourquoi von Braun n'a pas appelé la Gestapo sur-le-champ.

— Il t'a laissé le temps de fuir ! finit-il par articuler.

— Bien sûr. Il ne peut pas se résoudre à mettre à mort un cerveau comme le mien. Entre scientifiques, nous nous respectons !

Le résistant français fanfaronne, mais au fond de son regard se devine l'inquiétude. Marie est la première à s'exprimer :

— Nazaire, il faut vite nous sauver. Il t'a donné une longueur d'avance, mais il enverra des hommes. Tu le sais.

— Avant, je dois aller récupérer des papiers à Peenemünde.

— Tu es fou ! Ils ne te laisseront jamais entrer sur la base secrète ! Encore moins en ressortir !

— Il faut que je tente le coup. C'est mon devoir. Si je quitte l'Allemagne avec ces documents, je pourrai aider les Alliés à gagner la guerre.

— Marie a raison, c'est de la folie, insiste Henri. Tu dois nous conduire tout de suite à l'extérieur de la zone et regagner Bruxelles avec nous. Ce von Braun t'a donné une chance : saisis-la !

Nazaire s'entête. Le devoir de servir la cause l'emporte sur son instinct de survie.

— Tu as vu comme moi ces enfants être arrêtés par l'infect Seppel Jaeger. Tu as vu Nathan se faire abattre à bout portant. Je n'ai rien pu faire. Ces images ne te hantent-elles pas jour et nuit ? Moi, si ! Combien d'autres devront y laisser leur peau avant que nous n'arrivions à mettre fin à cette stupide guerre ? Il faut que la violence cesse !

— Mais s'ils t'interceptent, qui les aidera ? ajoute encore Henri.

Il n'y a rien à faire pour convaincre le Français. Il doit aller jusqu'au bout de ses convictions et tenter de soutirer des documents à l'ennemi. Léveillée le persuade toutefois de le laisser l'accompagner. Puisque Nazaire insiste pour que Marie soit protégée, Cyrille se porte volontaire.

Enfin, tous se donnent rendez-vous à la sortie du passage secret de la maison de Lubmin avant le lever du soleil, après quoi la voiture démarre dans la nuit naissante. Curieusement, le jeune scientifique ne cesse de parler de ses travaux au centre de recherches de Peenemünde.

— Le plus triste, c'est de voir tant de cerveaux rassemblés pour concevoir des engins de mort, alors que nous pourrions nous consacrer à des recherches immensément plus profitables : sur le vol d'appareils à l'extérieur de l'orbite terrestre, par exemple.

— Ah! Ah! Tu plaisantes, voyons, répond Henri. Je suis aviateur et, crois-moi, on ne va pas beaucoup plus haut que les nuages. Un peu plus et tu vas me chanter qu'on ira un jour prendre le thé sur la Lune! Ah! Ah!

— Il n'y a rien de drôle là-dedans! L'Allemagne est en train de détruire la réputation de dizaines de scientifiques mis au service d'un gouvernement démoniaque. Ensemble, tous ces gens auraient pu déplacer des montagnes pour inventer des médicaments ou des engins pouvant voyager dans l'espace. Après la guerre, j'espère que von Braun sera encore vivant. Il est jeune et incroyablement intelligent. Il arrivera à de grandes choses. Crois-moi, s'il le dit, c'est qu'il en enverra, des gens sur la Lune. J'espère juste que ce sera le coq de la France et non la croix gammée qui ornera la fusée[16].

Les phares de la petite Volkswagen fixent maintenant les installations de Peenemünde. Le centre de recherche se découpe dans la nuit telle une cité mécanique. Des guetteurs au visage figé veillent à tous les coins, armés jusqu'aux dents. Mégapole scientifique, usine du mal ou prison à sécurité maximale, l'endroit ensorcelle Henri. Lui et son ami s'en approchent comme s'ils pénétraient dans l'antre d'un dragon endormi. Nazaire demande à son passager de s'allonger au fond de la voiture, sous une couverture. Henri s'exécute.

À la première clôture, les gardes accueillent le conducteur amicalement. Mais les deux occupants de la voiture gèrent difficilement leur angoisse. Se mêlant aux ombres de la nuit, le visage de Nazaire trahit le sentiment de crainte qui l'habite, alors que les résistants traversent la seconde guérite les séparant du cœur stratégique de la base secrète de Peenemünde.

---

16 Werner von Braun fuira l'Allemagne à la fin de la guerre pour travailler avec les Américains au programme spatial qui permettra aux États-Unis d'envoyer les premiers hommes sur la Lune.

Là, ils sont soumis aux mêmes contrôles de sécurité et ont droit à la même courtoisie de la part des sentinelles. Les bienvenus qui accueillent Nazaire, loin de le réconforter, entretiennent son appréhension. Von Braun n'a pas encore signalé sa trahison, mais cela ne saurait tarder.

Le scientifique français gare la voiture de façon à ce que leur fuite soit la plus aisée possible, mais Henri pense que la réalité le rattrapera si les choses tournent mal.

— En courant de la porte du laboratoire jusqu'ici, les balles des sentinelles pourront nous atteindre cent fois ! note-t-il après avoir jeté un œil à l'extérieur.

— Ne t'en fais pas. Je cours vite et, toi, tu m'attendras au volant.

— Mais…

— Pas question que tu m'accompagnes. Cache-toi sous le tableau de bord.

Facile à dire ! Henri se tortille du mieux qu'il le peut pour trouver une position confortable. Un instant, il s'étire pour regarder son ami s'en aller, fouetté par l'urgence d'agir.

Le silence s'installe tout autour de la petite voiture ; un silence que perturbe le martèlement du cœur battant d'Henri. Et si l'alerte était donnée? Et si les gardes venaient à le découvrir dans la voiture? Et si…

L'aviateur relève les yeux pour scruter la cour du laboratoire. Les deux sentinelles interrompent leur marche à quelques mètres. Des paroles échangées en allemand lacèrent le calme ambiant. Un soldat allume la cigarette de son confrère pendant qu'ils pointent la voiture. Henri déglutit. Heureusement, les deux hommes s'éloignent chacun de leur côté. Ouf!

Les minutes passent. Peut-être même se transforment-elles en heures. Léveillée perd la notion du temps. Tout est long et angoissant pour le pilote ainsi caché dans l'habitacle, à la merci de centaines de gardes chargés de défendre Peenemünde et les futures armes hitlériennes.

Soudain, une puissante voiture pénètre dans la cour. Elle se gare précipitamment. L'individu qui en descend, bien que pressant le pas alors qu'il se dirige vers l'entrée du laboratoire, est ralenti par son poids. Essoufflé, il s'offre une pause et échange avec l'un des gardes. Puis, les deux repartent au pas de course. *Quelque chose ne tourne pas rond,* pense Henri.

À ce moment, les éclats de voix s'intensifient, et les pas sur le sol deviennent plus énergiques. Dans la cour, la tension monte d'un cran. Par deux fois, le garçon confiné à sa cachette entend des hommes prononcer le nom de son ami. Nazaire est en danger !

Rampant sur le banc de la Volkswagen qu'on semble avoir oubliée, Henri se couche derrière le volant, prêt à mettre le contact. La porte de l'entrée du laboratoire vient de claquer. Une silhouette familière apparaît, fébrile, des rouleaux de papier à la main. Nazaire ! Au même instant, le Canadien remarque une sentinelle qui s'approche de l'auto. Le voilà coincé : il ne peut aller à la rencontre de Nazaire sans risquer sa propre vie.

Le Français fait de plus grandes enjambées. Henri, se retournant, voit son ami courir à perdre haleine. Il refoule les encouragements qu'il n'ose pas hurler. *Vite ! Vite ! Tu y es presque !*

Sa voix, lorsqu'il crie enfin au risque de se dévoiler, se perd dans les aboiements de ses ennemis, qui intiment au pauvre Nazaire de s'immobiliser. Le scientifique ne veut pas. Fonçant droit devant lui, il serre encore dans

214

ses longues mains les précieux plans. Soudain, les lumières de puissants projecteurs convergent vers sa silhouette élancée. Un dernier *Halt*! résonne dans l'air. Puis, prenant le refus d'obéir du Français comme un acte de trahison, les Allemands ouvrent le feu.

Dans l'éclat théâtral des lumières, le corps désarticulé de Nazaire se raidit en encaissant les décharges meurtrières. Le scientifique s'arque et s'immobilise un instant. Les plans secrets volent à gauche et à droite, absorbant quelques gouttes du sang du jeune homme. Chaque coup de feu l'atteint, chaque balle perce son habit et son corps; et sa vie s'en échappe. Nazaire s'affaisse. Les documents retombent sur lui avec lenteur, tandis que le silence reprend ses droits sur cette terrible nuit.

Henri, prostré dans la voiture, n'ose plus bouger. Devant lui, des soldats s'approchent du corps, l'arme en joue, prêts à tirer de nouveau sur Nazaire. À l'arrière, les sentinelles qui ont abandonné leur poste contournent la Volks pour observer la victime à leur tour. Le Canadien doit réagir. Dès que ses ennemis sont passés, il démarre le minuscule bolide et appuie sur l'accélérateur.

Surprises, les sentinelles de la première guérite répondent aux coups de klaxon de la Volks en ouvrant la barrière. La scène, cocasse, ne fait pas rire Henri, qui voit que la seconde clôture demeure fermée. Un gardien le met en joue. Le jeune conducteur, au péril de sa vie, et sans se soucier de celle de l'Allemand, fonce à toute allure. Le garde trouve à peine le temps de s'écarter de la trajectoire du bolide.

L'automobile fonce sur la guérite, brisant son pare-chocs et ses phares, dont les éclats de verre retombent sur le pare-brise. Le bruit de la vitre cassée se confond avec celui des balles tirées par les gardiens de Peenemünde. Les mains cramponnées au volant, Henri se penche pour ne pas s'exposer au tir des armes qui tentent d'empêcher sa fuite. Il écrase l'accélérateur.

La voiture s'efface finalement dans la nuit. Son conducteur tremble de tout son être. Il ne parvient ni à lâcher le volant, ni à réduire la vitesse, ni à retenir ses larmes.

19

Comme un animal traqué

Lubmin, Allemagne

La petite voiture atteint le faubourg malgré son piteux état. La noirceur complique la tâche d'Henri. Il reconnaît finalement l'allée menant à la villa et se gare à quelques centaines de mètres de celle-ci, sur le bord d'un fossé.

C'est le calme plat dans les parages. Pour un soldat, le silence, plus encore que le bruit, est terrifiant. Il est synonyme de danger, de guet-apens, de mort imminente.

Lorsque le silence règne, on ignore d'où proviendra la première salve et d'où surgira le premier ennemi qui, s'il vous attrape de dos, pourra vous égorger avant que vous n'ayez pu crier à l'aide. Les veines gonflées d'angoisse, Henri referme la portière après avoir récupéré une lampe-torche sur la banquette arrière. Il habitue sa vue aux ténèbres, puis il se dirige vers la plage que surplombe le manoir de Nazaire. Il cherche, scrute le terrain, fouille les taillis à la recherche du souterrain où il doit rejoindre Marie et Cyrille. La lumière de la lampe de poche qu'il promène furtivement dans la nuit l'aide à se repérer. Soudain, une plage privée que se disputent les roches et les branches sur lesquelles il trébuche apparaît derrière un bosquet. La cabane que lui a décrite Nazaire, semblable à une banale remise de jardin, l'attend. Avançant à la dérobée, Henri aperçoit le verrou qui maintient la porte fermée. Il s'inquiète : personne ne serait donc venu ici ? Doucement, il appelle :

— Marie ? Cyrille ?

Le silence, toujours. Il n'y a personne. Ses amis ne sont pas là. Seraient-ils demeurés à la villa malgré le danger ? Sur le trousseau de clés qu'il a retiré de la voiture, Henri trouve celle qui lui permet d'accéder au cabanon. Le jeune homme observe rapidement l'installation : au fond du bâtiment, près d'un amoncellement de pierres, se cache une étroite excavation obstruée par une planche facile à déloger. Sans prendre garde à l'éclat de la lampe, Henri se glisse dans le noir et fonce dans ce passage qui l'oblige à rester accroupi sur une trentaine de mètres. Puis, un panneau qu'il déplace lui révèle la cuisine de la maison. Ou plutôt, le fond d'une armoire de la cuisine. Un luminaire éclaire la pièce aux murs ocre. Le Canadien se rend compte que le contenu du garde-manger est posé sur la table; Marie et Cyrille se sont préparés à partir. Mais pourquoi n'ont-ils pas donné suite à leur plan?

Henri tend l'oreille. Se rappelant la prudence élémentaire, il évite de prononcer à voix haute le nom de ses amis. À petits pas, il se dirige vers le hall, puis s'adosse à la porte de la cuisine, fléchit la tête et jette un coup d'œil.

Sa respiration se bloque, car ses appréhensions se confirment. Voilà Cyrille. Immobile. Couché sur le dos. Les yeux rivés au plafond. Des yeux sans vie qui ne voient pas la mare de sang s'élargissant sur le parquet noir et blanc de cette maudite maison.

Un frisson parcourt l'échine d'Henri. Il jette un rapide regard derrière lui. La demeure est-elle cernée? Quelqu'un se cache-t-il dans une autre pièce ou un placard? Ses mains tremblent. D'abord Nazaire, puis Cyrille. Sera-t-il la prochaine victime de cette hécatombe? Il parvient à garder son sang-froid. Est-ce son instinct de survie ou sa formation militaire? Il l'ignore et cela importe peu. Il fronce les sourcils. Et s'il restait à son ami un souffle de vie?

De crainte qu'on l'aperçoive par une fenêtre, Henri entreprend de ramper jusqu'au corps inerte de Cyrille, dont il saisit le poignet.

Non, il n'y a plus rien à faire.

Allongé près du défunt, le Canadien scrute la pièce. Tout près repose un fusil de chasse, que Cyrille a sans doute laissé choir lorsque des hommes sont venus s'attaquer à lui. Henri s'en saisit et roule sur lui-même jusqu'au bureau de Nazaire. Assis au sol, contre le mur, l'arme à la main, il appelle, tout bas:

— Marie?

Aucune réponse. Il insiste.

Le silence continue de le hanter. Balayant les alentours du regard, il remarque que la porte de la salle à manger est entrebâillée. Il aperçoit des jambes allongées, immobiles. L'un des pieds a perdu sa chaussure, qui s'est retrouvée quelques mètres plus loin. Henri frémit, tandis que son cœur s'emballe.

Il s'élance, tête baissée, mais déjà, il appréhende le pire. Il percute le sol et pose les mêmes gestes que sur le corps de Cyrille. Marie est morte. Le garçon aurait envie de la prendre dans ses bras et de la secouer, comme pour l'arracher au sommeil douloureux qu'exprime son visage figé dans une dernière grimace, mais son sang-froid le rappelle à la raison : un être ne reprend pas vie. Pas quand six trous de balle déparent son corps. Henri ne souhaite pas être le prochain sur le tableau de chasse des agents venus liquider ses amis. Il ne doit pas s'attarder.

Le cœur rempli de chagrin et la peur au ventre, le Canadien fuit la maison par le tunnel, pendant que dans sa tête se déroule le film des derniers instants de Cyrille et de Marie. Il les voit pris au piège à l'instant où ils s'apprêtaient à fuir le manoir. Il imagine Marie tentant, dans un dernier effort, de raisonner les agents de la Gestapo afin d'éviter que ceux-ci ne découvrent la sortie secrète. Les hommes sortent leurs armes, Cyrille intervient, le fusil en joue. Puis, c'est l'échange funeste des coups de feu et la mort de ses deux amis.

Il se fait tard; très tard. Le jeune fugitif marche lentement, aux abois, comme un animal traqué qui sent que ses prédateurs sont tapis dans tous les coins. L'écho de son cœur battant à tout rompre résonne dans ses oreilles, et c'est à travers cette chamade qu'il entend distinctement de l'allemand. Il plonge dans un fossé. Des lampes de poche s'agitent autour de la Volkswagen. Henri distingue des hommes armés, en imperméable. L'envie le prend de sortir de sa cachette et d'offrir à ces bandits le destin qu'ils ont réservé à Cyrille et à Marie, mais il ne fait pas le poids contre eux. Et tant qu'il demeure dans l'ombre, il ne met personne à ses trousses.

Henri est fatigué, vulnérable, abattu. La profonde noirceur de cette nuit reflète la situation dans laquelle il se trouve. Il s'enfonce plus encore dans le fossé et s'assoit sur le sol humide. Cet instant de repos ne réussit qu'à lui faire voir l'ampleur du péril qui le guette. Il doit quitter le territoire ennemi sans se faire remarquer. Pourra-t-il y arriver sans alliés ? Le pilote plonge sa tête dans ses mains, anéanti. Quelques heures plus tôt, il se sentait si bien entouré qu'il était persuadé que ses tourments tiraient à leur fin, mais maintenant… Il retient ses larmes. Jamais encore il n'avait tant perdu. Quelques minutes avaient suffi pour lui arracher tout ce sur quoi il pouvait compter : ses amis, un toit, la sécurité, sans compter l'espoir de sortir de ce bourbier. Il ne sait plus si ses ennemis les plus dangereux sont les Allemands, ou encore l'épuisement, le désespoir et la faim. Désormais, il ne peut se fier qu'à lui-même.

Heureusement, ses sens le tiennent en alerte. Sur la chaussée, les voix des hommes continuent de se faire entendre. Que disent-ils ? Que font-ils ? Henri sent soudain une goutte froide sur sa main. Il lève les yeux au ciel : des nuages se regroupent et chassent l'éclat de la lune. Il doit trouver un abri, puis quitter cette région. Il choisit le fossé et, marchant à quatre pattes, le plus silencieusement possible, il se résout à avancer, priant pour passer inaperçu.

***

Une clarté grise enveloppe la campagne de Poméranie. Henri a mal dormi. Les cauchemars ne lui ont pas laissé une seconde de répit. Il se réveille courbaturé, accueilli par le vent qui fouette son visage, le ramenant sans ménagement à la réalité. L'air est imprégné d'humidité. Il s'est endormi en se blottissant contre une grille renversée dans l'embout d'un tuyau, sous un chemin. Il ne pleut plus, mais la canalisation charrie maintenant une eau sale et nauséabonde. Le pilote est salué par un jour triste comme son état d'âme; il est seul, aviateur sans avion, loin des siens, sans munitions, sans moyen de reprendre contact avec la Résistance. Il pense à Marguerite, dont il s'ennuie plus que jamais. Où est-elle? Pense-t-elle à lui? À ces questions, son cœur s'alourdit. Il soupire. Ses chances de survivre lui apparaissent nulles. Pourtant, il ne peut pas rester inactif. Il doit se ressaisir!

Il ne lui reste plus qu'une chose à faire : marcher pour rejoindre la Belgique, là où il sera possible de trouver des résistants. Il doit avancer discrètement, surtout de nuit, et remettre sa vie entre les mains du destin.

Son estomac crie famine. Mais la nourriture appartient à l'ennemi.

Henri sort de cet affreux tuyau et se hisse hors du fossé. Il découvre devant lui un vaste cimetière parsemé de tombes recouvertes de terre fraîchement remuée. C'est le seul signe d'une activité récente à cet endroit, puisque les herbes hautes montrent qu'il s'agit d'un terrain mal entretenu. En temps de guerre, les considérations esthétiques deviennent secondaires, mais les morts, eux, ne peuvent pas attendre. Au bout du cimetière, le fugitif aperçoit une église et un presbytère.

Des catholiques! Un prêtre ne dénoncera pas un membre de son Église! se dit Henri, poussé par l'espérance et par la faim.

Sa confiance revient tout à coup. Le Canadien rejoint la résidence en passant par le cimetière délabré, prenant garde de ne pas être aperçu. Il longe le mur arrière, contourne l'édifice, grimpe sur la galerie et frappe avec une main résolue à la porte d'entrée. Après plusieurs minutes passées à veiller sur ses arrières et à marteler la porte, il discerne enfin un bruit de pas qui se rapproche. C'est un vieil homme coiffé d'un bonnet de nuit et vêtu d'une jaquette qui lui ouvre.

— Ja[17]?

Du mieux qu'il le peut, et à grand renfort de gestes, le jeune homme lui explique qu'il est affamé. L'homme le chasse poliment, mais sans détour. Penaud, Henri s'éloigne de la cour, déçu et inquiet. Que va-t-il se passer,

---

17 Oui. (On prononce « Ya »)

maintenant? Ce prêtre va-t-il alerter les autorités? Le ventre creux, le garçon se résigne à retourner à l'ombre du fossé et à reprendre sa longue route solitaire.

Mais soudain, il entend la porte du presbytère s'ouvrir de nouveau. Se retournant, anxieux, il voit l'homme au bonnet de nuit poser un sac sur le portique. L'Allemand regarde le Canadien avec insistance, le visage fermé. Puis, il rentre à l'intérieur. Le cœur rempli d'espoir, Henri revient sur ses pas et ouvre le baluchon. Il y trouve du saucisson, un pain frais, ainsi qu'un bout de fromage. Il sourit et prononce un merci que personne n'entend, avant de repartir, ses provisions sous le bras.

À l'abri derrière son rideau, le prêtre regarde Henri s'éloigner. Il espère que personne, dans la lumière du petit matin, n'aura aperçu son geste de résistance.

20

Opération Chastise

Vallée de la Ruhr, Allemagne – mai 1943

Au fil de ces semaines de cavale à travers l'Allemagne inhospitalière, le plus compliqué pour Henri consiste à trouver quelqu'un parlant français ou anglais. Le Canadien a d'ailleurs jeté l'éponge ; il ne compte plus là-dessus. Son objectif demeure cependant inchangé : rentrer en Angleterre pour reprendre les commandes d'un Spitfire. En Belgique, meilleures seront ses chances de rencontrer des résistants. En attendant, il doit marcher clandestinement vers l'ouest, tout en cherchant de quoi survivre.

Un après-midi, il s'approche de la ville de Günne. En forçant la porte d'un poulailler, il vole quelques œufs qu'il engloutit sans même les faire cuire, puisque la fumée pourrait attirer l'attention. Ensuite, il décide de contourner un affluent de la Ruhr, soit la rivière Möhne. Pour traverser le cours d'eau, il faut en principe marcher sur l'immense barrage face auquel, ce soir, le vagabond cherche un endroit où dormir. Il lui faudra repérer un passage plus discret demain, mais en attendant, l'important est de trouver un coin dans la forêt où aucune patrouille ne risquera de le découvrir. Il choisit une colline qui surplombe le barrage et qui offre une vue imprenable sur la vallée.

Le soleil quitte les sommets qui habillent le paysage du barrage; l'eau coule avec lenteur dans le lac artificiel qu'on appelle le Möhnsee. L'Allemagne s'endort et, avec elle, toute sa force de production concentrée à fabriquer armes, avions et chars d'assaut pour combattre les Alliés. Cette région, qu'on appelle la vallée de la Ruhr, constitue le cœur industriel de l'Allemagne. C'est d'ailleurs une contrée que les Américains et les Britanniques se font un devoir de bombarder sans cesse dans le but d'anéantir l'industrie militaire de leur adversaire. À plusieurs endroits, Henri a croisé des usines éventrées par des obus et des voies ferrées interrompues par des cratères créés par des bombes. Ce soir-là, alors qu'il est enfin sur le point de trouver un sommeil apaisant, un bruit familier le ramène à la réalité.

Des avions, pense-t-il, en alerte. Dans la nuit, il distingue clairement des appareils – de gros appareils – qui bourdonnent de plus en plus près de lui. *Des bombardiers ! Ils vont attaquer le barrage !* pense-t-il en escaladant les branches d'un arbre, ce qui lui offre un sinistre spectacle. Les Allemands, paniqués, cherchent à isoler les avions dans le ciel à l'aide de puissants projecteurs pour mieux les abattre. Ces bombardiers, qui soulèvent un poids de vingt-neuf tonnes, sont des Lancaster. L'éclat des phares sur les lourds quadrimoteurs que la flak[18] allemande prend pour cibles déchire la pénombre. Un tintamarre infernal de balles s'ajoute au grondement des oiseaux de fer.

La confusion règne autour de l'immense structure, que les éclairages de défense font émerger de l'ombre, alors que des milliers de projectiles filent comme autant de lucioles frénétiques.

À l'abri, dans la position d'un spectateur qui n'aurait pas payé son billet, Henri s'agrippe à l'arbre qui le soutient et observe la scène. Un premier bombardier perd de l'altitude et se

18 Nom donné à la Défense contre-aérienne (DCA) en Allemagne.

prépare à foncer entre les deux tours qui encadrent la digue de pierre.

Mais il va se fracasser sur le mur du barrage! se dit le Canadien, interloqué.

Ignorant encore la stratégie de ses frères d'armes qui se trouvent à bord des bombardiers, Henri se sent impuissant devant le drame qu'il appréhende. *Même s'ils réussissent à toucher cet édifice colossal malgré les tirs de défense, aucune bombe n'en viendra à bout,* pense le jeune homme.

Or, il voit soudain un large tonneau surgir du ventre de l'appareil, alors que ce dernier effectue au même moment une brusque remontée. Le baril, propulsé à une vitesse folle, ricoche à quelques reprises sur l'eau, puis finit sa course sur l'imposant barrage. À cet instant, un immense cône d'eau blanche jaillit sous l'impact de l'explosion sous-marine que vient de provoquer cette étrange bombe galopante.

— Quelle invention saugrenue! Ces pilotes sont complètement fous! lâche Henri à voix haute. Ils auraient pu se tuer!

Au loin, les Allemands hurlent et les tirs s'amplifient, pendant qu'un second appareil s'approche du barrage. Mais ce nouveau venu n'a pas la chance du premier avion : le tir de l'adversaire touche son réservoir, et une longue colonne de feu émerge du fuselage. L'avarie n'empêche cependant pas l'équipage de larguer son projectile. Celui-ci bondit par-dessus le barrage et cause une explosion qui souffle le Lancaster lui-même, alors qu'il essayait de remonter.

C'est alors qu'un autre avion s'attaque à la cible. Cette fois-ci, l'un de ses coéquipiers s'invite dans le décor pour leurrer la défense allemande. Ce troisième appareil, bien que touché, ébranle à son tour la digue dans un spectaculaire éclaboussement. Un quatrième appareil poursuit l'œuvre entamée.

Cela n'aura donc jamais de fin ! pense le garçon, étonné.

Et cette nouvelle bombe, rebondissant sur le fil de l'eau, touche mortellement le vénérable barrage. Un puissant geyser propulse de la vapeur d'eau sur plusieurs dizaines de mètres dans l'air de la vallée et, quelques secondes plus tard, un bruit d'effondrement de pierres et de briques fait taire les armes à feu allemandes. Le spectacle de cette saisissante démolition semble apocalyptique. En plissant les yeux, Henri aperçoit une brèche géante entre les deux tours du barrage de Möhne, ouverture à travers laquelle s'engouffrent à toute allure des millions de litres d'eau.

Relevant la tête vers le ciel habillé de son manteau le plus sombre, le fugitif découvre les queues des Lancaster qui se séparent en deux groupes pour disparaître dans le lointain, alors que la ville de Günne affronte le torrent. Ce dernier lave tout sur son passage, arrachant des centaines d'habitants à leur sommeil ou, pour les moins chanceux, à la vie. Le jeune aviateur ignore que l'opération Chastise s'attaque, cette nuit-là, à de nombreux autres barrages qui, en cédant, entraîneront la mort de plus de mille deux cents personnes.

Descendu de son perchoir, Henri dort d'un sommeil agité, perturbé par l'effet colossal de cette attaque sur son imagination.

***

Plusieurs jours plus tard, marchant toujours avec prudence dans une région de plus en plus assaillie par les avions des Alliés, Henri ne parvient pas à effacer de sa mémoire le spectacle de cette opération.

Il doit cependant garder le cap. Son avancée dans la campagne allemande est périlleuse. Il se sent comme une souris au pays des chats. *Ou comme un oiseau,* pense l'aviateur en soupirant. *Un oiseau aux ailes coupées.* Prudent, il marche à l'orée des bois, enjambant branchages, clôtures, ruisseaux et fossés. Dès qu'une habitation est en vue, il bifurque, plonge sous le couvert boisé ou rampe dans les champs.

Il ne compte plus les jours qu'il consacre à sa lente progression dans l'arrière-pays. En fait, pour ne pas abandonner, il ne compte que sur sa détermination et sur le maigre repas qu'il réussit à dénicher chaque jour. Aujourd'hui, il doit faire une pause. Le splendide soleil a convaincu tout ce qui vit en Allemagne de sortir prendre l'air. Si Henri quitte sa cachette, il sera vite repéré.

Plus loin, dans le pré, une troupe de jeunes Allemands, garçons et filles, travaillent en bras de chemise, chantant des airs martiaux pour se donner du courage. Leur force est réquisitionnée pour cultiver les terres qui nourrissent les armées du Reich. Henri recule dans les bois. Tout, autour de lui, respire l'effort de guerre germanique. Cet effort collectif stimule le sien.

Lui aussi doit continuer à se battre : contre la faim, la solitude et l'abattement.

Le plus facile serait de se rendre à l'ennemi à titre de prisonnier militaire. Ainsi, il serait de nouveau nourri et logé. Mais il n'a aucunement envie de renoncer à sa liberté. Il doit rentrer en Angleterre, reprendre les commandes d'un avion et recommencer la lutte. C'est son devoir. Tandis qu'au loin, les jeunes têtes blondes regardent passer un avion militaire dans le ciel clair, Henri Léveillée, l'œil sombre, disparaît dans les ténèbres d'une forêt inconnue.

21

Les Alliés se préparent

Aldershot, Angleterre – juin 1943

La base d'Aldershot est sans doute le lieu du plus grand rassemblement de soldats du Commonwealth. Là, on entraîne les fantassins : ils courent, sautent, se camouflent, utilisent leur boussole, vident leur chargeur, cirent leurs bottes et apprennent les stratégies militaires. Rares sont les soldats canadiens qui, durant la guerre, ne transitent pas par cette ville du cœur de l'Angleterre. Les installations de cette caserne existent depuis 1854, mais elles se sont étendues avec la venue de nombreuses troupes alliées qui attendent le bon moment pour attaquer la forteresse Europe, érigée par les hommes d'Hitler. C'est le cas d'Émery Léveillée, arrivé à cet endroit après un long et ennuyeux parcours.

Long, car le jeune homme a entrepris sa formation de membre d'une équipe de char d'assaut, avant d'être muté sur le terrain avec un grade de sous-officier. Ennuyeux, car depuis ce soir de janvier où il a traqué l'espion inconnu dans la plaine de Saint-Roch-des-Aulnaies, il n'a pas réussi à chasser l'adrénaline qui gonfle ses veines. Il rêve d'action; il a besoin d'accomplir une mission. Mais tout ce que ses supérieurs ont réussi à lui offrir, c'est de l'entraînement.

Tout avait pourtant commencé simplement pour lui. Il s'était présenté au bureau de recrutement et, en un clin d'œil, son enrôlement avait été approuvé.

Au moment de son inscription, le commis lui avait soufflé, tout bas :

— Je vois très bien que tu n'as pas l'âge, mais il y a tellement de gens qui se cherchent des prétextes pour ne pas venir s'enrôler que je ne refuserai pas ceux qui le font avant leur majorité.

Émery avait regardé l'homme d'un air médusé. Il venait pourtant de déclarer qu'il avait dix-huit ans.

— Tu mens très mal, jeune homme. Mais tu es grand, bien bâti, et tu as un bon teint. Des types comme toi, en parfaite santé, il en faudra beaucoup, parce que je ne crois pas que la guerre sera finie quand tu seras majeur.

Surpris, Émery avait quitté le comptoir avec un formulaire à remplir. Il était parti lentement, assez pour entendre l'homme ajouter pour lui-même, de façon presque inaudible :

— Si les Allemands ne te tuent pas avant…

Le cadet des frères Léveillée s'était ensuite soumis avec succès à un examen médical approfondi, puis il s'était empressé d'apposer sa signature au bas du *Formulaire d'enrôlement de l'Armée canadienne – Formations et unités actives*. Ses supérieurs l'avaient alors rencontré pour mieux connaître ses habiletés :

— Avez-vous des aptitudes pour la mécanique ?

— J'ai souvent réparé le tracteur, à la maison. Je me débrouille.

— Avez-vous des connaissances en géographie ?

— J'étais le meilleur de ma classe.

— Connaissez-vous d'autres langues que le français, soldat Léveillée ?

Émery s'était gardé de révéler qu'il maîtrisait les rudiments de l'allemand, voulant à tout prix éviter qu'on le prenne pour un espion ennemi. Il s'était contenté de quelques phrases en anglais, qui avaient su plaire à son interlocuteur.

Il avait finalement été envoyé à Valcartier pour rejoindre le Royal 22e Régiment. Émery, contrairement à son frère, rêveur et têtu, était capable de se soumettre à une discipline rigide et de suivre à la lettre celle imposée par sa compagnie. Il savait qu'il n'était plus qu'un numéro matricule, un chiffre dans un registre. De l'humain, il ne restait qu'un bilan médical, bilan qui devait demeurer parfait pour lui permettre de marcher au pas, d'aboutir en Europe et de faire la guerre. Et, bien sûr, de retrouver son frère Henri.

C'est à cette période que son quotidien s'était métamorphosé, tout comme celui de centaines de jeunes hommes venus de partout au Québec : longues marches avec équipement complet et exercices de combat et de tir. S'ajoutaient à cela différents cours portant sur le camouflage, le lancer de la grenade, le corps-à-corps, etc. Le pire, c'était l'odeur dans laquelle on les plongeait : ramper dans la boue trempée par le jus d'intestins de porcs donnait la nausée aux plus forts d'entre eux. Émery, comprenant l'enjeu, avait très tôt expliqué à ses camarades :

— Lorsque nous nous battrons contre de vrais ennemis, la puanteur sera celle d'animaux morts et de cadavres de soldats pourrissant dans des tranchées, ou encore celle de civils tués par erreur dans des édifices écrasés à la suite de bombardements. Ce sera cela, la véritable horreur.

Très vite, la recrue Léveillée s'était montrée disciplinée, déterminée et entreprenante. Tout comme l'éventail de ses connaissances, sa capacité à comprendre les ordres et à accompagner les autres recrues n'était pas passée inaperçue aux yeux de l'état-major. Il n'avait donc pas fallu beaucoup de temps avant qu'on ne le recommande pour un grade de sous-officier. En faisant son bilan, un major lui avait dit :

— Vous êtes très organisé. Vous prenez le relais de vos officiers pour aider vos compagnons d'armes, vous ne fraternisez pas trop, et votre discrétion est appréciée. Malgré votre jeune âge, vous avez tout le profil pour devenir caporal.

En fait, le seul défaut d'Émery était de viser incroyablement mal et de rater la cible une fois sur deux. Le major avait donc ajouté :

— Continuez à démontrer autant de *leadership*, caporal Léveillée, et vous pourrez faire tirer toute une compagnie à votre place.

Cela embarrassait Émery ; tous ses supérieurs voyaient en lui un leader né, un futur officier qui aurait des privilèges et un meilleur salaire. Or, devenir officier lui imposerait aussi une série de responsabilités qui l'éloigneraient de sa mission personnelle : ramener Henri à la maison, sain et sauf.

Un soir, alors qu'il rentrait au dortoir, un capitaine l'avait abordé :

— Dis-moi, quelles études as-tu faites avant d'aboutir ici ?

— Euh… Pas grand-chose, en fait. La petite école de campagne. C'est tout.

— Pourquoi n'es-tu pas allé suivre un cours d'officier d'infanterie ? Tu serais rapidement devenu lieutenant et…

— Je veux de l'action le plus vite possible et je veux être sur le terrain, avec les autres hommes, avait répondu succinctement Émery.

— Dans ce cas, je crois que tu pourras partir pour l'Angleterre assez rapidement.

***

Ainsi, au petit matin d'une journée s'annonçant pluvieuse, sur la route qui mène au camp d'Aldershot, trois soldats débraillés marchent en titubant, l'un d'eux soufflant à s'époumoner dans un clairon cabossé. Par les fenêtres des résidences, des visages gonflés de sommeil jettent un œil indigné aux ivrognes qui regagnent leur caserne. Ceux-ci se tiennent par les épaules, par les bras, s'échappent, tombent à la renverse, puis se relèvent dans des éclats de rire qui se répandent dans la prairie. Cette dernière se révèle un décor merveilleux, mystérieux, à mesure que le jour l'éclaire. Une couverture de brume habille les murets de pierres, les haies et les vieilles maisons anglaises.

Ces trois soldats sont inséparables. Bons vivants, ils ont aussi de plus en plus peur de monter au front. Comme plusieurs autres, ils se sont enrôlés pour toucher une solde alléchante.

Ils croyaient que cette guerre connaîtrait son dénouement avant qu'ils n'aboutissent sur l'île d'Angleterre. Mais cela n'a pas été le cas. Les rumeurs courent : le Royal 22e Régiment pourrait d'un jour à l'autre partir à l'attaque. Mais où? En France? En Italie? En Afrique? La Terre entière est en guerre; les possibilités sont innombrables. Un vieil adage déclare que les hommes rongés par la peur meurent en premier sur les lieux d'une bataille. Ces trois militaires sont persuadés qu'en cas de débarquement, ils ne tiendront pas debout trois minutes. Ils noient donc cette certitude dans l'alcool, dès qu'un prétexte le permet. Or, le règlement ne l'autorise pas.

Derrière eux marche, d'un pas régulier, un jeune sous-officier au regard assuré. Personne ne connaît réellement sa personnalité. On raconte que sous ses airs de jeune homme solitaire se cache un adolescent à peine sorti de la puberté. Certains disent qu'il a fait de la prison. D'autres laissent courir le bruit qu'il n'aurait pas appris à sourire, ou encore qu'il vient d'une grande famille de militaires. Tous le saluent avec empressement, avec un garde-à-vous teinté de peur. Pourtant, jamais personne ne l'a vu se fâcher.

En ce matin frisquet, il tient son fusil en bandoulière, bien résolu à s'en servir si l'un ou l'autre des trois énergumènes décide de faire demi-tour. Émery Léveillée, bien qu'il adore ses confrères, est convaincu que son devoir passe avant tout. Lorsqu'il a appris que trois soldats de sa compagnie avaient décidé d'aller au village pour fêter les vingt ans de l'un des leurs, il s'est fait un devoir de les ramener avant l'aube, sachant que ces idiots risquaient la cour martiale et l'éviction des forces armées s'ils rataient le dénombrement.

L'un d'eux ralentit soudainement. Sa démarche est caricaturale, et Émery est excédé par ses pitreries. Il lève le ton :

— Soldat Grenier, avancez ! Plus nous arriverons tôt au camp, plus vous aurez de chance d'éviter les ennuis.

Le bouffon encaisse mal la remarque. Du mieux que son équilibre le lui permet, il se retourne et poursuit sa marche à reculons, toisant Émery. Rendu malin par l'effet de l'alcool, il lance :

— Dites, caporal Léveillée, est-ce que c'est vrai que c'est votre mère qui vous a donné la permission de…

— Soldat, vous n'avez pas été autorisé à parler ! Taisez-vous et avancez !

— Vous avez entendu, les gars ? Le petit caporal nous dit que nous n'avons pas le droit de parler.

— Dans ce cas, ajoute un second fantassin, je n'ai pas non plus le droit de jouer de la musique.

L'insolent jette son clairon en direction d'Émery, qui bloque l'objet en relevant l'avant-bras. Sa patience a atteint sa limite. Il prend son arme et la pose dans le creux de son épaule, le canon vers le sol, puis il lève le ton :

— Larivière, vous devrez répondre de votre geste à votre officier supérieur. J'ai tout fait pour vous éviter des ennuis, mais en vous attaquant à moi…

— En vous attaquant ? Ah ! Ah ! Si j'avais voulu t'attaquer, j'aurais pris mon revolver.

La scène semble vouloir se transformer en mutinerie, ce qui ne plaît guère à Émery. Larivière et Grenier n'ont apparemment aucune intention de revenir au camp. Le troisième homme, Bachand, ne s'imaginait pas que son anniversaire tournerait mal. Il vient d'ailleurs de remarquer que Larivière n'a pas laissé son arme à la caserne. Ce dernier continue à provoquer le caporal Léveillée :

— D'ailleurs, on raconte que vous ne seriez pas capable de toucher un éléphant dans un corridor. Est-ce vrai que vous tirez comme un pied ?

— Il tire comme une grand-mère, ajoute Grenier.

— Et si je le provoquais un peu ? lance Larivière en ricanant, tout en sortant son revolver de son étui.

Émery le met en joue. L'autre lève son arme et appuie sur la détente.

Le coup de feu retentit dans le faubourg, effarouchant les oiseaux qui font claquer leurs ailes en s'envolant.

Le jeune caporal n'a pas été touché. Larivière l'a-t-il seulement nargué ou est-ce parce qu'il est ivre que cette balle s'est perdue ? Qu'importe, Émery est seul contre trois et il doit agir. Au moment où il se décide à tirer, Grenier se jette sur lui. Les deux hommes roulent au sol, et le fusil se retrouve sur la chaussée. Larivière, hilare, fait tourner son revolver dans sa main. Bachand en a assez. Il attrape son poignard et agrippe son ami, lui faisant échapper son arme à feu. Tout en posant la lame sur la gorge du délinquant, il crie :

— Grenier, cesse de faire l'imbécile ou j'égorge ce crétin ! Tu vas tous nous faire passer au peloton d'exécution s'il arrive quelque chose au caporal !

Ramené à la réalité, le soldat Grenier aperçoit son complice menacé de mort. Le jeune Léveillée y voit une occasion de renverser l'ivrogne, mais ce dernier saisit plutôt son poignard à son tour. Le poing d'Émery atteint Grenier une seconde trop tard : il sent, comme une brûlure, la lame glacée du renégat qui s'enfonce dans son épaule.

***

Se pressant entre les grands bancs de bois, martelant de leurs talons les planches de la salle à manger, les soldats canadiens, épuisés et affamés après un entraînement sous la pluie, se dirigent tous vers le même endroit en bousculant leurs camarades. Ils détestent se retrouver en rang, mais lorsqu'ils ont l'estomac creux et qu'il est question d'attendre l'infect dîner de la cantine, ils sont tous prêts à faire la file indienne, au garde-à-vous, plateau à la main.

Ce midi, une rumeur monopolise les conversations des garçons en bras de chemise. À mesure qu'elle passe des bouches aux oreilles, elle enfle, gonfle, épaissit, gagne en faussetés et en déformations, à un point tel qu'elle en devient une légende. Après trois jours de commérages, tout le monde ne parle que de cette histoire :

Le caporal solitaire a fait face à deux traîtres.

Le petit Léveillée se serait battu avec un soldat.

Le jeune sous-officier de la compagnie A est blessé et serait entre la vie et la mort.

Quant au principal intéressé, il se trouve loin des on-dit. Dans l'infirmerie, une attelle au bras et l'épaule pansée, Émery se dévisage dans un miroir. Debout à ses côtés, son capitaine recommence pour la énième fois un discours lassant :

— Vous ne pouvez pas demander de redevenir simple soldat. Je ne veux pas vous l'autoriser ; vous êtes un sous-officier prometteur pour l'armée canadienne. Vous le niez et vous dites que vos hommes ne vous respectent pas, mais c'est faux. Dans tout Aldershot, les rumeurs font de vous un héros ou une victime, mais jamais un pleutre. Ce ne sont pas deux ou trois têtes brûlées qui devraient vous décourager.

— J'ai pris ma décision. Je ne suis pas parvenu à m'imposer lors de cette altercation.

— Ces hommes étaient soûls.

— Qu'importe. Avec un peu d'encadrement, beaucoup d'autres pourraient prendre ma relève. Pourrais-je savoir ce qui vous motive vraiment à me maintenir dans une fonction que je refuse d'assumer?

Le capitaine se lisse les moustaches, puis s'appuie au dossier d'une chaise.

— Avez-vous entendu parler de l'opération Mincemeat? demande-t-il, sérieux. Bien sûr que non. C'était plutôt secret. L'opération Mincemeat, ou Chair à pâté, a commencé par le cadavre d'un homme inconnu que les Anglais ont ramassé à la morgue. Dans les poches, ils ont glissé de faux papiers d'identité, le faisant passer pour un espion. En plus, ils ont ajouté des documents prétendument secrets, qui font croire que les Alliés débarqueront en Sardaigne prochainement. La Sardaigne, c'est une île d'Italie.

— Je sais, grogne Émery. Et qu'ont-ils fait du cadavre ?

— Ils l'ont jeté à la mer, près des côtes espagnoles. Les Espagnols l'ont retrouvé puis, en bons serviteurs des fascistes de Berlin, ils ont fait parvenir les prétendus documents secrets aux officiers nazis.

— Ils n'ont tout de même pas cru à cette histoire à dormir debout !

— Eh oui ! Nos services de contre-espionnage sont affirmatifs : les Allemands déplacent leurs troupes vers la Sardaigne.

— Alors que…

— Alors que nous débarquerons en Sicile.

— Nous ?

— Le Royal 22e Régiment. Et j'ai besoin de tous mes hommes.

Cette nouvelle jette une seconde douche froide sur l'humeur d'Émery. Non seulement il ne désire plus être caporal, mais en plus, il ne souhaite pas demeurer soldat de ce régiment. Débarquer en Italie signifie s'éloigner pour de bon de son frère. Émery veut aller en France. Se ressaisissant, il murmure :

— Je vais y réfléchir.

Alors que l'officier s'apprête à quitter l'infirmerie, plein d'espoir, Émery l'interpelle :

— Capitaine, ces trois hommes, Grenier, Larivière et Bachand, ils n'ont pas toujours été dans notre régiment, n'est-ce pas ?

— En effet. Ils ont été transférés du Régiment de la Chaudière.

— Pourquoi ?

— Il arrive que ce genre de mutation calme les plus turbulents, mais dans le cas présent, c'est raté. Nos confrères de la Chaudière ont besoin d'éléments obéissants. Ce sont eux qui auront le privilège de débarquer en France. Au fait, Bachand a demandé à vous voir. Il dit qu'il n'y est pour rien dans la bagarre.

— Il a raison. Que va-t-il lui arriver ?

— Il devra passer en cour martiale et sera vraisemblablement expulsé de l'armée. À moins que vous ne plaidiez sa cause.

Le capitaine referme la porte. Émery se gratte la tête. Il doit s'occuper de ce jeune homme qui a maîtrisé Larivière. S'il réussit à le tirer d'affaire, il est convaincu que Bachand montrera une grande loyauté à son égard, ce qui s'avérera avantageux. Mais il y a plus. Le sous-officier a très bien compris son supérieur : lorsque l'heure du débarquement aura sonné en France, le Régiment de la Chaudière fera partie des troupes qui, avec les Anglais et les Américains, attaqueront en premier. Pour le garçon, l'affaire est donc claire : non seulement il lui importe de ramener Bachand dans ce régiment, mais il doit également – et absolument – le rejoindre lui-même !

Dans sa tête, le caporal Léveillée commence déjà à écrire la missive qu'il adressera en haut lieu, demandant d'être muté dans le Régiment de la Chaudière. Son principal argument sera qu'il connaît les bases de l'allemand. Si cet atout pouvait lui nuire pour son entrée dans l'armée, il lui sera profitable dans cette situation, il en est certain. *Les plages de l'Italie ne me verront pas,* se promet le jeune homme. *Je participerai au débarquement qui mènera les Alliés au cœur de l'Allemagne.*

Il se tourne du côté du poste de l'infirmière :

— Garde ? Garde ? Pourriez-vous m'apporter un crayon et une tablette de papier ? J'ai une
lettre à rédiger.

22

Préparatifs

Inveraray, Écosse – septembre 1943

La petite ville d'Inveraray est un paradis sur le plan de l'architecture et de la géographie. Un immense château veille sur les rives du loch Fyne. On peut en admirer les tours lorsqu'on traverse le romantique pont aux arches doubles. La municipalité, elle, est constituée de maisons blanches, blotties autour d'un clocher carré massif, fait de granit rouge. Le pays, bien qu'âpre et rustique, est néanmoins charmant, à l'image de ses habitants.

Émery déambule sur le pont. Sa blessure est presque guérie. Il n'attend que les ordres du docteur pour ranger son bâton de marche et reprendre son fusil. Il est heureux. La vue, sublime, le subjugue. Hébergé par un vieux couple, il fait de grandes promenades sur les collines, il pratique la course à pied, il explore le pays. Depuis quelques semaines, il se familiarise avec son nouvel environnement géographique, mais aussi avec son nouvel entourage : à la suite de la lettre envoyée à ses supérieurs, il a été muté au Régiment de la Chaudière, où on l'a confirmé dans son rôle de caporal plutôt que de le rétrograder au rang de soldat.

Comme il l'avait prévu, les dirigeants lui ont assuré que sa connaissance de la langue de Goethe serait précieuse pour les missions sur le continent. Cela ne fait plus de doute : le célèbre Régiment de la Chaudière sera aux premières loges sur les plages de la France occupée lorsque les Alliés débarqueront.

Pour l'instant, les rives de l'Italie ont accueilli des Canadiens. La nouvelle du débarquement de ses anciens camarades du Royal 22e Régiment en Sicile lui est parvenue avec le nom des quelques coéquipiers qui y ont laissé leur vie. Cette nouvelle le trouble et le ramène à sa préoccupation principale : quelles sont réellement les chances de survie de son frère ? Depuis trop longtemps, plus personne n'a de nouvelle d'Henri ; ni son cousin Laurent, ni le capitaine Cardinal.

Cette pensée, loin de calmer ses ardeurs, les réveille et rend le jeune homme encore plus impatient de partir. Chaque pas qu'il fait le rapproche de son aîné, et il ne s'arrêtera que lorsqu'il l'aura retrouvé. Il est persuadé que d'ici quelques mois, il foulera les plages de France avec les Chauds, surnom des fantassins du Régiment de la Chaudière. En attendant, Émery découvre, dans un atlas, le pays de ses ancêtres, ainsi que la Hollande, la Belgique et l'Allemagne. Chaque jour, il se demande à quel endroit, dans cette immensité, peut bien se cacher son frère.

Cet atlas, il l'a découvert dans la bibliothèque de ses hôtes, la famille MacAllister. Ce sont des gens sympathiques. Émery accompagne quotidiennement madame MacAllister au village avant de rejoindre les baraquements portuaires près de l'endroit où s'entraînent les Chauds. Affecté à un travail de bureau, le temps de sa convalescence, le caporal saisit chaque occasion pour accompagner le régiment lors des entraînements. Sur le port, il observe les troupes avec fascination et envie.

Les soldats apprennent des techniques de combat de rue et expérimentent des manœuvres d'attaque sur un sol instable. Sous l'eau froide et par temps humide, ils assimilent les meilleurs mouvements pour quitter une barge de débarquement, manier les grenades, se protéger des tirs. Malgré les plaintes de ses camarades lorsqu'ils rentrent trempés jusqu'aux os, Émery a hâte d'être des leurs, dans l'eau jusqu'aux aisselles, ses bras tenant le fusil hors des flots, son dos encombré d'un lourd sac et sa tête à peine protégée par un casque, qu'une balle tirée de plein fouet peut percer aussi facilement qu'un papier de riz. Les préparatifs militaires hantent et obsèdent les soldats. Leur quotidien est totalement axé sur un événement-clé de cette guerre, mais aussi de leur vie.

En revenant chez ses hôtes, le caporal Léveillée tente donc de se changer les idées, ce qui, heureusement, n'est pas trop difficile : les MacAllister sont si agréables ! Tout comme leur petite-fille, d'ailleurs.

— Tu ne devrais pas te montrer si enthousiaste, Émery. Bientôt, tes amis et toi allez faire face à de vraies balles !

Ces mots, crus malgré la candeur de la voix qui les exprime, sont ceux de Sandy. Émery et elle ont le même âge. Elle dort dans la chambre d'à côté et le taquine sans cesse. Sandy habite chez ses grands-parents depuis que sa mère lui a intimé l'ordre de quitter la ville de Bournemouth, bombardée deux ans plus tôt. Quant à son père, il est mort sur les rives de Dunkerque, lorsque les Allemands ont envahi la France. La jeune fille ne laisse pas le Québécois indifférent. D'ailleurs, elle rit encore en lui rappelant combien il a rougi lorsqu'elle l'a embrassé, l'autre soir, à la tombée de la nuit.

— Décidément, vous êtes de grands nigauds, vous, les Canadiens!

— C'est que…

Émery ne connaît rien aux filles et ne souhaite pas s'attacher aux gens qu'il côtoie. Mais sa détermination risque de s'effriter s'il continue à vivre entre les mêmes murs que les MacAllister et de prendre chaque matin le petit déjeuner devant les yeux malicieux de Sandy.

Cet avant-midi là, alors qu'il se rend à son travail, les pensées d'Émery dérivent vers celui qui a risqué sa vie quelques semaines plus tôt, à Aldershot, pour éviter qu'il ne perde la sienne. Depuis cet événement, il n'a pas revu le soldat et il n'a jamais eu la chance de le remercier pour son geste courageux. Depuis qu'Émery a écrit une lettre pour plaider la cause de son sauveur, aucune nouvelle ne lui est parvenue. A-t-il seulement réussi à réintégrer le Régiment de la Chaudière? *Quel est son nom, déjà?* se demande le caporal, en poussant la porte de son bureau.

***

La journée file à toute vitesse. Si vite, d'ailleurs, qu'Émery est encore absorbé par la rédaction d'une lettre officielle qu'il tape sur une petite machine à écrire, lorsqu'une alarme est déclenchée. En une fraction de seconde, le voilà sur le qui-vive. Des détonations lointaines finissent de ranimer en lui l'envie de se battre. Il se précipite sur son arme et court vers la porte où, dans un ridicule face-à-face, il heurte un individu qu'il reconnaît aussitôt.

— Pardon, caporal. Je suis désolé… Désolé…

— Soldat Bachand! Quelle surprise! s'exclame Émery en lisant le nom brodé sur l'uniforme du garçon. Que se passe-t-il? Pourquoi cette alarme?

— Un avion allemand vient de survoler l'espace aérien. Il a été abattu.

— L'équipage a-t-il…

— C'était un avion-chasseur. Le pilote s'est parachuté.

Sur l'entrefaite, un major rejoint les deux jeunes hommes dans le corridor.

— Caporal Léveillée, prenez un camion avec deux fantassins et allez me chercher ce Teuton[19]. Il ne doit pas avoir eu le temps de mettre les voiles.

Quelques minutes plus tard, un véhicule du régiment file sur le chemin cahoteux.

— Regardez la colonne de fumée, à l'ouest. C'est là que l'avion s'est écrasé, remarque le soldat nommé Saint-Germain.

— Donc, l'Allemand est ailleurs, pense tout haut Émery.

Saint-Germain le regarde avec curiosité. Bachand, qui a compris son caporal, sourit et explique :

— C'est juste : il ne peut pas être là où se trouve l'avion, car il s'est parachuté deux ou

---

19 Surnom caricatural donné aux Allemands, en référence à un peuple vivant au nord de l'Allemagne lors du Moyen-Âge.

trois minutes avant l'écrasement. Je l'ai vu. Il faut sans aucun doute tourner dans ce sentier. Allez, allez, caporal, par là.

Émery resserre sa prise sur le volant et donne un solide coup vers la droite. Ses camarades sont bousculés et protestent, mais il ne les écoute pas : il est trop occupé à chercher. Soudain, Bachand pousse un cri :

— Là ! Le parachute !

Coincée dans un enchevêtrement de cordages, une large toile pend à travers les branches. Le camion freine brusquement et les hommes en descendent. Le cœur d'Émery accélère, alors que chacun prépare son arme.

Saint-Germain murmure :

— Dans ce bois, le parachutiste peut être partout autour de nous…

— Non. Il ne peut être qu'à un seul endroit à la fois.

— Bachand, tais-toi. Tu as le don de tout tourner au ridicule.

— Un peu de silence, réclame le caporal Léveillée. Notre homme est vulnérable. Nous sommes trois, et il y a quelques milliers d'Écossais dans la région. Il n'ira pas loin. Voyons s'il y a des empreintes de pas autour du parachute.

Alors qu'ils s'approchent, Émery ne peut s'empêcher de penser à son frère, dont l'avion s'est aussi écrasé quelque part dans un pays étranger foisonnant d'ennemis. Comment a-t-il réagi ? Que tente un pilote qui se parachute avec la quasi-certitude que son séjour en territoire adverse finira en prison militaire ?

Le jeune caporal inspecte les lieux. Le parachute s'est déchiré. L'aviateur a dû s'en détacher en coupant les cordages avec son poignard. Émery demande à ses hommes de scruter les alentours, pendant qu'il cherche une piste sous la forme de branches brisées ou d'empreintes de botte.

— Je pourrais me faire un tas de mouchoirs de poche avec cette toile, lance Bachand à la blague.

Les autres ne rient pas. Dans le sous-bois, il règne un silence pénétrant. Aucun vent, aucun froissement de feuilles, rien. Aucune odeur, non plus. Seul le soleil fatigué, qui parvient malgré tout à faire filtrer ses rayons dans la toile du parachute, stimule les sens des

Canadiens. Émery, l'esprit attisé par l'appréhension, se demande si ses hommes entendent son cœur battre. Mais les autres croient dur comme fer que leur caporal est maître de ses émotions et ils ne sentent pas cette frénésie qui le tient en éveil, alors qu'ils tournent autour du bout de toile lacérée, le fusil prêt à tirer.

Soudain, Émery aperçoit une trace : celle d'un talon bien enfoncé dans la terre. Il lève le bras gauche, ses hommes se retournent et…

Un revolver tombe devant le pied d'Émery. Il s'agit d'une arme allemande. Au sommet d'un buisson apparaissent deux mains bien tendues vers la cime des arbres. L'une d'elles serre un bout de tissu blanc.

— *Komm hier ! Schnell*[20] *!* ordonne Émery d'un ton nerveux.

Apparaît alors un homme en combinaison de vol, l'air hagard, qui se libère des branches de façon malhabile, tout en gardant ses mains levées.

— *Es ist das Ende für dich*[21] *!* prononce Émery.

---

20 Viens ici ! Vite !

21 C'est terminé pour toi.

En entendant cette phrase dans un allemand aussi élaboré, l'aviateur inconnu reste aussi surpris que les deux fantassins canadiens.

— Il parle allemand? s'exclame le soldat Saint-Germain.

— Je te l'avais dit, il n'est pas normal, rétorque Bachand. Hé! Caporal, qu'est-ce que nous faisons, avec le Boche?

— Vous le traitez comme votre nouveau meilleur ami, répond Émery. C'est un prisonnier de guerre, et il doit profiter des mêmes conditions que les nôtres. Il s'assoira entre Saint-Germain et moi pour le voyage du retour. Bachand, toi, tu te débrouilles pour rentrer.

Si les Allemands se rendent tous aussi aisément, la fin de la guerre sera facile, songent les Canadiens, tandis que le véhicule retourne au camp. Émery observe du coin de l'œil son prisonnier qui, gêné, réfrène un sourire, soulagé de n'avoir pas été malmené. Les pensées du caporal se tournent alors vers Henri. Il en vient à espérer que celui-ci ait été capturé avec la même douceur, afin que sa triste cavale en terres inconnues soit terminée, mais surtout, pour qu'il mange et soit à l'abri, et que les siens puissent être rassurés.

23

Risquer sa vie

Bournemouth, Angleterre – le premier novembre 1943

Émery vient de recevoir une lettre de la Croix-Rouge. Une réponse à la demande qu'il a envoyée voilà bientôt deux mois. Il la lit sous le cadre de la porte du comptoir postal et l'enfouit sous les pans de son grand manteau avant de sortir. Il est rapidement incommodé par la pluie froide et peste contre l'averse.

La lettre aussi lui donne des raisons de gronder. Il a demandé qu'une recherche soit faite dans les listes de prisonniers en territoire allemand, ainsi que dans toutes celles des soldats canadiens morts en territoire ennemi, mais le nom de son frère ne s'y trouve pas. Son informateur lui révèle toutefois qu'Henri et un fantassin du nom de Cyrille Dubois se sont évadés au printemps dernier et que le corps de Dubois, abattu lors d'une fusillade, a été retrouvé dans une maison à l'autre bout de l'Allemagne. Aucune trace d'Henri. A-t-il survécu à l'attaque où son ami a perdu la vie? Est-il mort sans que son corps puisse être identifié? L'inquiétude ronge Émery. La lettre donne si peu de détails!

Il entend écrire aux services secrets en passant par cet Émile Cardinal qu'il n'a pas revu depuis son départ du Canada. Mais en attendant…

Un camion l'éclabousse. Émery pousse un juron, s'étonnant lui-même et surprenant deux passants pressés. Il maugrée en essuyant son pardessus, et son attitude déclenche un éclat de rire familier. Zéphir!

C'est le soldat Bachand, avec qui il doit dîner. Joseph Zéphir Bachand, ou Zeph – pour les intimes – de Sainte-Catherine-de-Hatley.

Chaque fois qu'on parle d'un soldat de la troupe, on le nomme par son nom, mais aussi par son lieu d'origine. Ce détail fascine Émery; lui qui n'est jamais sorti de son village natal, il se retrouve maintenant en contact avec des Québécois nés aux quatre coins de la Belle

Province. Il y a des fils d'ouvriers, des fils de gens d'affaires, des fils de cultivateurs… Tout ce monde tisse sa toile de contacts et pense déjà à l'après-guerre. La vie militaire ouvre décidément des perspectives d'avenir. À condition d'en sortir vivant.

Sur la base, ils sont des milliers, voire des dizaines de milliers à vivre au jour le jour, attendant l'ordre d'un débarquement militaire. Ils sont tous là, jeunes, en pleine forme et à l'aube de leur vie ; cependant, nombre d'entre eux ne verront plus le soleil briller lorsque la guerre finira. Leur existence pourrait s'interrompre n'importe quand, dès cet instant où le général Eisenhower décidera que les troupes doivent entrer dans la danse et bouger au rythme des mitrailleuses et des canons.

À ce moment, les deuils seront fréquents pour tous ceux qui fraternisent dans la grande armée rassemblée en Angleterre. Qui le hasard choisira-t-il pour garnir les cimetières militaires ? Quels amis pleurera-t-on ce jour-là, et les jours suivants ? Pour éviter ce chagrin, Émery ne veut pas s'attacher à tous ces jeunes hommes qui l'entourent. Il ne veut pas pleurer.

Et pourtant, il y a Zeph, avec qui il a développé une solide amitié. Et il y a Sandy. Elle, il l'a quittée à regret lorsque le régiment a terminé son entraînement maritime. Mais têtue, et sans doute amoureuse, elle l'a retrouvé lorsqu'elle est venue rejoindre sa mère à Bournemouth. Encore avant-hier, ils sont sortis ensemble au cinéma.

Ces interludes constituent une mince tranche du quotidien du caporal Léveillée. La vie est faite d'exercices d'embarquements, de débarquements et de simulations d'attaques avec de vraies armes crachant de vraies munitions. Des pratiques d'assaut redoutables, mais efficaces. Tragiques, aussi. Émery a vu un major trébucher alors qu'il portait deux grenades. L'homme a perdu pied, puis les engins ont éclaté, lui arrachant les mains.

Une grande claque entre ses omoplates, retentissant comme une bombe dans une tarte juteuse, pousse Émery vers le bistro où lui et Zéphir vont manger.

— Et puis, es-tu toujours amoureux de la belle Écossaise ?

— Je n'ai pas le temps pour les amours.

— Pas le temps pour les amours, pas le temps pour les amitiés… Si je comprends bien, c'est un privilège pour moi d'aller prendre une bouchée avec le caporal le plus hermétique de tout le Commonwealth ?

La porte du bistro s'ouvre sur une atmosphère humide, mais réconfortante. Plusieurs hommes en uniforme, Anglais, Américains et Canadiens, se restaurent en attendant une accalmie sur la ville portuaire. Le patron ne sait pas où donner de la tête : au moins, la guerre est bonne pour les affaires.

Dénichant une place contre le mur du fond, Zéphir y entraîne son ami et le dévisage.

— Toi, tu es préoccupé. As-tu des directives de nos supérieurs ? Débarquons-nous bientôt ?

— Non. Ce n'est pas cela. J'ai eu des nouvelles de mon frère. Ou plutôt, je n'en ai pas eu…

— Tu as un frère ? Ah ! Un peu plus, et je vais apprendre que tu as des parents. Allez, confie-toi un peu. Les amis, c'est fait pour ça.

Émery raconte sommairement l'histoire d'Henri. Du moins, ce qu'il en sait.

— Et c'est ce qui t'a poussé à t'enrôler… Tu sais, peut-être que tu ne le reverras que lorsque cette fichue guerre sera finie. Une fois que nous serons de l'autre bord de la Manche, nous n'aurons pas le temps de chercher Henri Léveillée dans tous les villages de France et d'Allemagne.

— Du temps, je vais en trouver. J'ai ma petite idée…

L'adolescent réalise soudain qu'il a parlé trop vite. Il rougit et se mord la lèvre. Ses mains retombent avec force contre la table, alors qu'il cherche à poser son regard ailleurs.

— Tu veux déserter? demande Zeph, tout bas.

— Je n'ai pas dit cela! répond faiblement Émery.

La honte envahit le caporal. Déserter. Ce mot lui fait horreur. Il ne veut pas faire fi de son devoir, mais il sait que le jour où il se retrouvera sur le continent européen, ses responsabilités militaires représenteront un obstacle entre lui et son frère.

— Tu sais aussi bien que moi que déserter, c'est trahir son régiment et son engagement, poursuit Bachand. Tu risques la cour martiale et le peloton d'exécution si tu…

— Oh là! Tu es mal placé pour me parler de cour martiale! Et qu'est-ce qui te fait dire que nous ne serons pas libérés de notre engagement plus tôt? Peut-être que la guerre se terminera avant que…

Quel mauvais menteur, pense Zeph, qui continue à murmurer dans le brouhaha du dîner.

— Bon. Je vais te dire une chose : ton intention est louable. Admirable, même. Mais je ne pourrai pas te laisser quitter le régiment.

— Qu'est-ce que ça peut te faire, à toi?

— Hé! Tu es mon ami! Je…

La phrase de Zéphir se perd dans l'air emboucané de la salle car, à ce moment, les sirènes d'urgence se font entendre dans la ville. Les semelles des clients, comme les pieds des chaises, battent avec force le plancher, alors que tous cherchent un abri.

En un instant, les sifflements se transforment en un choc épouvantable; un projectile vient de s'écraser quelque part dans un pâté de maisons, non loin de là. Les soldats sortent au pas de course, et les nez se lèvent vers le ciel, à l'affût d'un de ces visiteurs ennemis, déterminés à larguer leurs explosifs sur Bournemouth.

À quelques pas d'eux s'élève une colonne de fumée.

— Un avion s'est écrasé en pleine ville, déclare Zéphir. Fausse manœuvre d'un des nôtres ou Allemand pris pour cible ? Émery ? Émery !

Celui-ci n'est plus là. Il court, et Zéphir le perd de vue lorsqu'il tourne pour emprunter une rue transversale. Même s'il progresse moins vite, le soldat Bachand se lance à sa poursuite, devinant qu'Émery veut rejoindre le lieu de l'accident.

— Oh non ! s'exclame-t-il quelques instants plus tard, à bout de souffle, lorsqu'il reconnaît la silhouette élancée de son caporal, freinée par les flammes brûlantes qui s'étirent avec violence dans la carapace éventrée d'un édifice.

L'avion est tombé sur l'immeuble où logent Sandy et sa mère.

Les sapeurs pompiers sont déjà à l'œuvre, aidés de civils et de quelques soldats qui passaient dans les parages. Deux hommes et une femme viennent d'intercepter Émery, mais celui-ci les repousse et se rue de plus belle vers le brasier. Zéphir ne fait ni une ni deux et se précipite sur lui.

— Émery, reste ici ! Tu ne peux pas avancer, dit-il en attrapant son ami par les épaules.

— Ça, c'est ce que tu crois ! Je dois sauver Sandy !

— Mais tu ne peux pas, voyons ! Regarde la réalité en face ! Si elle est là-dedans, elle est perdue. Personne ne peut survivre à cette chaleur !

— Il le faut, il le faut ! répète Émery, incapable de quitter la scène des yeux.

À travers les pierres et les briques éboulées en amas rougis par le feu se dresse la queue tordue d'un bombardier Junkers. Bachand, les deux bras serrés fermement sur ceux de son camarade, use de toutes ses forces pour l'empêcher de poursuivre sa course vers cette fournaise à ciel ouvert. Émery n'a jamais laissé transparaître ainsi ses émotions. Pourtant, à ce moment-là, c'est toute l'ardeur et la démence d'un animal en furie qu'il manifeste en cherchant à atteindre le foyer de l'incendie.

— Écoute-moi ! crie Zéphir en resserrant son étreinte. Crois-tu franchement que le Boche qui pilotait cet avion a pu s'en tirer ?

— Impossible. Il a brûlé vivant.

— Alors personne dans cette maison n'a pu faire mieux que lui. Et si tu t'entêtes à y entrer, tu perdras la vie, toi aussi. Contrôle-toi ! Peut-être que ton amie n'était pas chez elle.

— Ça aussi, c'est impossible, gémit l'adolescent désespéré. Je devais aller la rejoindre après notre repas.

Les larmes aux yeux, Émery tente une ultime fois de se défaire de la puissante étreinte de son confrère pour se précipiter vers la maison en flammes. Zéphir, voyant toute tentative de le retenir s'avérer inutile, opte pour la seule option qu'il lui reste : lui asséner un direct à la mâchoire. Le caporal Léveillée s'écroule. Les badauds, curieux ou offusqués par l'altercation entre les deux soldats, s'interposent.

Émery, rouvrant péniblement les yeux, dévisage Zeph :

— Pourquoi as-tu fait cela ? marmonne-t-il, allongé sur le sol mouillé et sali par la suie et la poussière.

— Parce que tu es mon ami ! répond l'autre, devant une foule d'Anglais qui ne comprennent rien à leur discussion.

24

Un peu de répit

Bruxelles, Belgique – décembre 1943

Dans la noirceur du couvre-feu imposé à la capitale belge, la cuisine d'une vieille école est encore faiblement éclairée. Située à quelques pas du carrefour qu'on appelle la Porte Shaerbeek, en plein cœur de Bruxelles, elle abrite deux voix qui discutent, tout bas. Celle de madame Dalmans, cuisinière du collège, tinte comme les chaudrons qu'elle empile pour refermer ses grandes armoires bancales. Celle de Lucien, pour sa part, étonne par son aplomb, surtout lorsque le reflet de la lune révèle la jeunesse de ce petit résistant de treize ans. Il dit :

— Il a tout mangé ce que vous aviez mis dans l'assiette.

— Si j'avais su que tu m'amènerais un pensionnaire… souffle madame Dalmans. J'ai fait de mon mieux; j'ai réussi à récolter les fonds de bols de soupe du midi, trois biscuits, et j'avais gardé un demi-litre de lait. J'ai aussi ramassé un tiers de saucisson et un bout de pain gros comme mon poing. Quand on y pense, c'est un festin de roi en cette période de rationnement. Mais ce petit *baligand*[22], comment l'as-tu déniché?

— C'est mon cousin qui l'a trouvé. Il paraît qu'il a marché depuis l'Allemagne pour rejoindre la Belgique. Il s'est nourri de ce qu'il a pu trouver et il a dormi à la belle étoile. Mon cousin l'a surpris en train de voler des œufs dans sa ferme, alors il l'a suivi. Il a vite compris qu'il s'agissait d'un soldat en fuite tentant d'éviter les Boches.

— J'ai bien hâte de lui faire la conversation, à ce jeune homme. C'est quand même étonnant, un aviateur canadien qui parle français. Il y a des francophones, au Canada?

— On dirait bien que oui. Son but était de trouver un réseau pour l'aider à passer au Portugal, puis en Angleterre.

---

22 Mot wallon qui signifie *vagabond*. Le wallon est une langue régionale parlée en Belgique.

— Chaque fois qu'on m'envoie un aviateur en détresse, je le garde ici tant que je n'ai pas une équipe pour le prendre en charge, explique la cuisinière. Cependant, tu sais bien que les réseaux sont de plus en plus malmenés par les nazis. Je n'ai plus de contact, et je ne sais pas combien de temps je pourrai le garder.

— Mais vous ne pouvez pas le laisser à lui-même ! lâche Lucien, inquiet.

— Ne t'en fais pas, mon petit Lulu. Tu as bien fait de me l'amener. Je trouverai un moyen de le nourrir. Et puis, tu l'as installé dans un grand garde-manger que je ne suis pas capable de remplir, faute de nourriture disponible. Comme il faut passer par ma cuisine pour s'y rendre, bien malin celui qui trouvera la porte ! Au moins, la nuit, il pourra aller et venir comme il le souhaite. Pour l'instant, laissons-le dormir. Toi, retourne chez toi discrètement. Moi, je dormirai ici pour respecter le couvre-feu.

Prenant ses jambes à son cou, Lulu quitte l'école et, à travers le dédale des ruelles, il finit par disparaître dans la nuit. Madame Dalmans, quant à elle, ramasse quelques couvertures qu'elle conserve dans son placard, les déroule sur le sol et s'endort, satisfaite. C'est probablement le douzième aviateur qu'elle héberge secrètement dans cette école vétuste. Ils sont Américains, Anglais ou Canadiens et, lorsqu'on les lui amène, ils ne peuvent compter que sur ses convictions et son courage de femme seule, mais déterminée à protéger ces grands jeunes hommes. Elle est sans famille, ignorée par les élèves auxquels elle distribue louches de soupe et quignons de pain ; elle traite donc ces pilotes comme ses propres enfants. C'est sa façon de contribuer à l'effort de guerre des Alliés et de prendre part à cette grande aventure, où le risque est bien réel.

Cette nuit-là, cependant, elle n'arrive pas à dormir. Son nouveau pensionnaire éveille sa curiosité, la rend fébrile. Cette fois-ci, le défi sera de taille, car elle doute que ce jeune homme puisse quitter sa cachette avant le printemps. Depuis combien de temps erre-t-il ainsi, seul, fuyant les Allemands, en quête d'une âme généreuse qui réussira à lui faire prendre le chemin du retour ? D'où vient-il ? Quelle est son histoire ? Jamais madame Dalmans n'aurait pensé, un jour, prendre une place si grande dans l'histoire en dissimulant des soldats alliés. Celui-ci, encore plus que les autres, elle en prendra grand soin !

***

Henri a ouvert les yeux depuis plusieurs minutes, mais il n'ose pas bouger. Autour de lui, quatre murs de briques, impeccables, semblent le toiser. Une petite chaise devant une étagère fait office de table. Le pilote est allongé sur une paillasse enveloppée de draps propres. À ses côtés, un pot de chambre, quelques livres. Est-ce une cellule ou un refuge ? Combien de temps a-t-il dormi ? Où se trouve-t-il, désormais ?

Il se remémore les derniers jours. La vie dans les bois, le froid, la peur de ne pas s'en sortir. Puis, la rencontre de ce paysan qui l'a recueilli et qui, la nuit dernière, l'a fait sortir du double fond de la charrette avec laquelle ils sont entrés dans Bruxelles. Un enfant l'a entraîné, en pleine noirceur, dans cette pièce. Il n'a rien vu. Il s'est laissé guider. Il n'avait plus le choix.

La faim l'assaille, mais il est habitué. Tout ce qu'il souhaite, maintenant, c'est se raser et se laver ; il se sent indigne de ces draps.

La porte grince, et une femme apparaît. Il la dévisage. *Dieu qu'elle est laide,* pense-t-il. Comme si elle avait entendu, elle déclare :

— Oui, mon petit, je sais de quoi j'ai l'air. J'ai perdu beaucoup de poids. Mais chaque fois qu'un des vôtres m'arrive, j'aime mieux lui donner ma nourriture que le laisser mourir de faim.

Malgré le sérieux de ce propos, Henri éclate de rire. Cette femme a un accent tellement drôle ! Elle lui fait des yeux ronds :

— Chuuuut, *biesse*[23] ! Tu vas te faire entendre ! Il y a des enfants dans l'école !

— Pardon, madame. Nous sommes dans une école ?

— Oui, et ce sera ta résidence jusqu'à ce que je trouve quelqu'un pour te ramener en France, et ensuite, au Portugal. Ça ne sera pas l'hôtel, mais ça ne sera pas non plus la taule.

— J'en ai pour combien de jours ?

— Oh ! Oh ! Le voilà qui parle en jours ! Je pense bien, mon petit, que tu vas passer Noël ici. Ne t'en fais pas, je te trouverai un cadeau. Et voilà le premier, d'ailleurs : un savon. Parce que tu ne sens pas les *piyaunes*[24], hein !

---

23 Idiot, en wallon.

24 Pivoines, en wallon.

Une fois décrassé, l'aviateur en fuite retrouve avec plaisir sa protectrice, qui commence à lui poser mille et une questions. Il y répond tant bien que mal, tâchant quand même de camoufler les détails de la vie militaire. Après tout, il pourrait s'agir d'un piège !

— Vous me disiez tout à l'heure que je devrai attendre ici longtemps…

— Oui, répond madame Dalmans. Jusqu'à récemment, c'était par le réseau Comète d'Andrée De Jongh, puis par son père, que je faisais partir mes protégés. La belle Andrée était extraordinaire…

— Une femme résistante ? demande Henri, étonné et maladroit, avant que le souvenir de Marie ne l'étreigne.

— Eh bien quoi ? Qu'est-ce que tu penses que je suis, moi ? Un homme costumé ?

C'est en effet l'impression qu'elle donne au jeune Léveillée, mais il n'ose rien ajouter. Inutile de vexer son hôtesse davantage. Celle-ci poursuit sa phrase :

— Je disais que la belle Andrée était extraordinaire. Sur tous les points. Tous les aviateurs que nous avons aidés auraient voulu l'épouser! Mais elle a été trahie par un saligaud. Un certain Capitaine Jacques, qui se faisait passer pour un résistant, mais qui était en service commandé par les nazis.

Capitaine Jacques! Ce nom résonne en écho dans la mémoire d'Henri. Il revoit cet individu lugubre qu'il avait traqué dans les rues de Paris, sans parvenir à l'achever, à l'empêcher de causer plus de tort; cet assassin attaqué par les agents de la Gestapo... L'aviateur serre les dents. Si seulement il était mort de ses blessures! La cuisinière termine son explication :

— Présentement, je n'ai donc pas de réseau.

— Qu'ont-ils fait avec Andrée De Jongh? demande le Canadien.

— Ils l'ont envoyée en camp de concentration. Comme plusieurs autres.

— Et quand en sort-on, de ces camps?

Un silence vient ponctuer la conversation. Madame Dalmans réfléchit à la façon de dire la vérité. Elle lâche enfin :

— On n'en ressort pas, mon petit gars. On n'en ressort pas[25].

Henri cache mal son découragement. Combien faudra-t-il encore de vies perdues pour aider les aviateurs alliés à ne pas tomber entre les griffes de leurs ennemis? Il sait que madame Dalmans, elle aussi, risque sa vie, tout comme ce garçon, Lucien, qui lui a ouvert la porte, hier soir. Ses pensées le transportent un instant ailleurs, mais son hôtesse le ramène sur terre :

— À quoi penses-tu, mon petit?

— Je me dis que si j'avais su toutes les difficultés que je vivrais, je serais peut-être demeuré chez moi, au Québec. Mais en même temps, à voir tous les sacrifices que les Français et les Belges font pour redevenir libres, je me sens coupable de penser ainsi.

— Ne philosophe pas trop. Nous avons chacun notre rôle à jouer dans cette aventure. Nous vous protégeons et, en échange, vous nous libérerez. Le reste, nous en reparlerons quand la guerre sera finie. En attendant, tu dois

---

25 La résistante belge Andrée De Jongh sera libérée des camps de concentration allemands à la fin de la guerre. Son père, Frédéric, sera fusillé par les nazis en 1944.

être affamé. J'espère que tu aimes les haricots…

Le jeune Léveillée regarde autour de lui. Cette chambre improvisée est réellement la plus triste qu'il aurait pu imaginer. Cette nouvelle étape de son périple ne sera pas aisée. Mais la présence de madame Dalmans le réconforte, et cette figure presque maternelle, à qui le destin l'a confié, veillera à son bien du mieux qu'elle le peut, il en est persuadé.

25

Sauvé in extremis

Bruxelles, Belgique – mars 1944

— Vite, vite, tu sors de là et tu viens avec moi !

Cet ordre, donné sur un ton péremptoire, vient d'une bouche dont la voix, en pleine mue, a de quoi surprendre. Pourtant, l'heure n'est pas au rire. Lulu tire Henri par le bras. Le pilote est à peine réveillé. Il dormait. Il rêvait, en fait. Il revoyait Marguerite, en robe d'apparat. Mais ses gants blancs, imbibés de sang, se tendaient vers lui, l'implorant. À leurs pieds, un officier allemand gisait, sans vie. Henri tentait bien de rassurer sa bien-aimée, mais des hommes en uniforme vert-de-gris s'emparaient de lui. Puis, alors qu'il résistait, se multipliaient autour de lui les visages agonisants de ceux qu'il avait perdus : Marie, Cyrille, Nazaire, Timothée…

Il voudrait remercier Lulu de l'avoir tiré de ce cauchemar, mais l'empressement du jeune Bruxellois lui fait comprendre qu'il y a urgence.

— Allez, dépêche-toi ! Il faut partir.

— Que se passe-t-il ?

— Tu as été repéré. Le fils d'un collaborateur qui étudie dans ma classe t'a vu.

— Mais comment ?

— Probablement par le soupirail. Ou un soir où tu es monté prendre l'air sur le toit de l'école, fait le garçon en grimaçant.

Lucien tend une bicyclette à Henri, et les voilà tous deux dans les rues de Bruxelles. Personne ne fait attention à eux. Pourtant, le pilote se sent continuellement épié, et c'est avec soulagement qu'il atteint les routes qui s'éloignent de la capitale belge.

— Où va-t-on ?

— Retour au point de départ : chez mon cousin. En plein jour, parce que nous n'avons pas le choix. De là, on te trouvera une cachette plus sûre.

— Lucien, tu as l'air débrouillard. J'aimerais que tu m'aides à retrouver quelqu'un… Une espionne qui travaille avec la Résistance…

— Ah ? Comment s'appelle-t-elle ?

— Marguerite Couture. La dernière fois que je l'ai vue, c'était à Paris.

— Mince ! À Paris ! Ça ne sera pas facile. Mais on pourrait essayer…

C'est le printemps, un printemps timide, mais résolu à régner sur le plat pays que les deux vélos traversent à vive allure, du moins jusqu'à ce qu'une patrouille allemande immobilise sa voiture et hèle les cyclistes. En ralentissant progressivement, Lulu souffle :

— Ne t'en fais pas, je m'en occupe. Ils se croient invincibles, mais leur domination commence à prendre fin. Bientôt, je pourrai leur faire croire n'importe quoi.

— Papiers, jeunes hommes ? mâchonne l'officier en français, alors que son comparse demeure dans l'automobile.

— Ne me dites pas que vous prenez l'un de nous pour le fugitif qu'on recherche dans Bruxelles ! lance Lucien.

— Pardon ? On recherche un fugitif dans Bruxelles ? demande l'Allemand.

— Bien sûr ! Les nouvelles ne vont pas très vite, à ce que je vois. Je peux vous donner mes papiers, mais ceux de mon grand frère, il faudra vous en passer. On revient du marché et je suis persuadé que c'est là qu'il s'est fait voler. Sans doute par le fuyard. N'est-ce pas, Bébert ?

— Ouais, répond Henri en forçant un accent qui imite à merveille celui de madame Dalmans.

— *Ja, ja...* C'est bon. Je vous laisse passer, les enfants.

De retour sur leur monture, Lucien et Henri regardent les Allemands repartir en direction de la capitale. Les deux pédalent côte à côte. Le ciel est ombrageux et la route, pleine de nids-de-poule, les oblige à redoubler de prudence. Henri parle le premier :

— Comment as-tu fait pour savoir ce que même ces Allemands ignoraient ? Ils auraient pu être au courant, non ?

— Impossible. L'ordre de te retrouver n'a pas encore été lancé. Ils s'en allaient à l'école pour te mettre à l'ombre lorsque j'ai été te chercher.

— Mais… comment as-tu été mis au courant si vite ? demande Henri, insistant.

— Je me rendais à l'appartement de madame Dalmans et j'ai vu une voiture garée devant chez elle, avec des officiers et des agents. J'ai tout de suite compris.

— Et madame Dalmans, lance soudain le pilote, que vont-ils lui faire ? L'interroger ? La torturer ?

— Non, non, bafouille Lulu. Ils n'auront pas ce plaisir. Quand ils l'ont sortie de la maison sur une civière, un drap recouvrait son corps.

L'adolescent cache mal ses larmes et accélère la cadence en reniflant. Il ne veut pas pleurer. Surtout pas devant un militaire. Derrière lui, Henri se tait. Et si ses yeux se voilent et rougissent, il s'interdit lui aussi d'exprimer sa peine. Que dirait cet enfant si courageux ?

La voix de Lucien retentit, un peu brisée malgré ses efforts :

— Hé, l'aviateur ! Il ne faut pas pleurer ! Nous allons la retrouver, ta Marguerite !

En ce mois de mars 1944, dans les campagnes de Belgique, de Hollande et de France, la vision des bourgeons qui s'apprêtent à éclater aura bientôt pour écho celle des obus déchaînés. La nature encore endormie couve les canons qui se déchaîneront, ignorant pour le moment cette menace.

En attendant, à grands coups de pédales sur leur bicyclette grinçante, les compagnons disparaissent dans le paysage printanier.

26

L'heure de vérité

Camp Stoneham, Angleterre – le vingt-sept mai 1944

Depuis hier, Émery Léveillée et ses confrères du Régiment de la Chaudière ne peuvent plus entrer en contact avec la population civile. Cette décision du haut commandement n'est pas une banalité. C'est l'ultime préparatif du grand débarquement qui s'annonce.

Les services secrets de contre-espionnage sont catégoriques : les Allemands ignorent à quel moment et à quel endroit les troupes alliées poseront le pied sur le continent. Adolf Hitler est persuadé que l'offensive aura lieu à Calais, dans le nord de la France. Il a d'ailleurs ordonné à ses troupes de consolider la défense à cet endroit.

Mais le débarquement n'aura pas lieu à Calais.

Pour renforcer les certitudes des Allemands, l'état-major des forces armées alliées imagine une série d'opérations secrètes laissant présager qu'un débarquement se prépare effectivement dans le nord de la France, ou même en Norvège. L'une des stratégies consiste à intoxiquer les réseaux d'espionnage allemands avec de fausses informations. Ainsi, Patton[26] est placé à la tête d'une fausse armée cantonnée dans le nord de l'Angleterre et, pour créer davantage de confusion chez leurs adversaires, les Alliés commandent aux entreprises Goodyear et Goodrich des structures gonflables imitant à la perfection des véhicules blindés. Celles-ci sont disposées de façon à faire croire aux avions de repérage allemands que l'armement s'accumule en prévision d'une grande attaque au nord.

L'astuce fonctionne à merveille.

En réalité, il a été décidé que le débarquement aurait lieu en Normandie, sur une plage

26 Le général George S. Patton, qui dirigea la troisième armée américaine, était reconnu comme un chef énergique que les Allemands redoutaient.

moins accessible, où les Allemands jugent l'offensive peu probable. Dès que les soldats du Canada, des États-Unis, de l'Angleterre et de bien d'autres pays apprennent que leur mission sera bientôt menée à bien, ils sont confinés dans leurs baraquements pour les derniers préparatifs et il leur est interdit d'envoyer des lettres, d'aller en ville ou de voir leurs amis civils.

Cet isolement engendre une certaine frénésie chez les jeunes soldats qui attendent cet événement depuis longtemps. Pour Émery, cela n'est en rien différent de ce qu'il vit depuis maintenant six mois, puisqu'il se tient loin de toute vie sociale, cherchant à se protéger; la mort de Sandy lui a rappelé qu'il ne s'est pas enrôlé pour rencontrer des gens et s'attacher à eux, mais bien pour retrouver son frère.

Par conséquent, il s'est muré dans le silence, s'est enfoncé dans l'exercice quotidien et a laissé l'étude de la géographie envahir ses temps libres. Désormais, il connaît par cœur des dizaines de routes et de villages entre le littoral français et l'Allemagne nazie. Il est si déterminé qu'il en oublie, dans ses calculs, la possibilité d'être blessé ou tué lors du débarquement.

Ce jour-là, son lieutenant l'a chargé d'une tâche routinière : l'inspection de l'équipement des soldats de sa compagnie. Par habitude, il s'est adjoint l'aide de Zéphir.

— Soldat Gauthier, vos lacets sont trop usés. Ils se briseront avant que vous n'ayez fait cent pas sur la plage. En prime, vous vous prendrez du sable dans les chaussettes.

Ce genre d'humour lui évite d'être vu comme un petit dictateur et lui permet plutôt d'avoir le rôle du grand frère fiable, quoique distant, qui masque ses émotions et veut en savoir le moins possible sur la vie de ses confrères. Les caporaux n'ont pas toujours très bonne réputation, et Émery veut à tout prix conserver des rapports courtois avec les membres du régiment. Sa tournée terminée, il se retourne vers Zéphir :

— Eh bien ! Maintenant, mon vieux, c'est à toi de me montrer si tu es prêt à rendre visite à Adolf et à ses amis.

— Avoir su que je devrais mettre de l'ordre dans mon sac, je…

— Je te fais confiance. De toute façon, je n'ai pas le temps. Je dois assister à un *briefing* où l'on va me montrer une maquette du lieu du débarquement.

— Évidemment, toi, tu sauras avant nous quel…

— Sois sans crainte ; les hommes verront le tout d'ici vingt-quatre heures. On se contentera de me donner une formation pour que je puisse répondre à vos questions.

Malgré son apparente indifférence, c'est avec une fébrilité grandissante qu'Émery s'approche du bâtiment de tôle où l'accueille une quantité impressionnante de photos aériennes, de cartes routières bariolées de tracés, mais aussi de maquettes tatouées de noms de villes sans aucun rapport avec la toponymie française.

— Dites, vous vous moquez de moi ? laisse-t-il échapper en même temps qu'il prend conscience de son manque de retenue devant ses supérieurs.

— Qu'y a-t-il, caporal ? demande le lieutenant Leroux, officier des renseignements.

— Veuillez m'excuser, lieutenant… Seulement, cette ville, ce n'est pas Boston, là. C'est plutôt…

— Mais taisez-vous, idiot ! répond l'officier, en traînant Émery à part. Nous avons volontairement changé le nom des villages pour que nos hommes ne risquent pas de dire quel endroit a été choisi pour débarquer. Avec cette carte, on peut encore croire que la rive est celle de…

— Ah ! Ah ! C'est vous qui allez me dire les noms des rives où nous ne débarquerons pas !

Comprenant qu'Émery vient de lui éviter une bévue, Leroux se calme et lui demande :

— Comment avez-vous fait pour reconnaître en un coup d'œil l'endroit où nous attaquerons ?

Émery se contente de lui répondre qu'il aime la géographie, passant sous silence que l'étude des cartes est un exercice auquel il se livre depuis son arrivée en Europe et qui le prépare à la mission qu'il s'est promis d'accomplir : retrouver son frère. Lorsqu'il quitte enfin la baraque, le soir tombe. Pour regagner sa couchette, il doit contourner plusieurs bâtiments au sein desquels la tension est palpable et le silence, assourdissant.

Les gens s'observent, muets, réflexifs. Dans combien de jours aura lieu ce débarquement ? C'est la question que se posent tous les hommes qui rôdent ce soir-là. Incapables de se résigner à dormir, ils déambulent seuls ou deux par deux, sans dire un mot, méditant, s'interrogeant. La longue attente qui les conduira, arme à la main, sous le feu de l'ennemi, vient de commencer.

Ils ont dix-sept, vingt, vingt-cinq ans. Pour certains, qui n'ont même pas eu le temps de s'interroger quant au sens de la vie, attendre est plus difficile que se battre. Les plus lucides savent que l'assaut auquel ils se préparent les fera entrer dans les livres d'histoire des générations futures. Après tout, il s'agit de la plus grande offensive militaire jamais tentée par l'homme. Rêveurs, certains croient que cela les transformera en héros admirés de tous. Mais, pour la plupart, la réalité, c'est qu'avant la postérité, il y a la guerre. Et il faut tout faire pour y survivre.

Ils portent tous le même uniforme, mais sous celui-ci respirent des milliers d'individus, qui ont des vies différentes, des sentiments épars. Certains pensent à leur famille, à leurs parents, à leur fiancée. Il y en a qui écrivent des lettres d'adieux à leurs proches, avant de les enfouir dans une poche de leur vareuse, en espérant que ces papiers ne serviront jamais. D'autres repassent dans leur tête le plan du débarquement et les conseils qu'ils ont appris durant les dernières semaines. Il y a une pensée, toutefois, à laquelle ils ne veulent pas donner libre cours : le matin du Jour *J* sera peut-être leur dernier. Non ! Ils sont jeunes, ils ont toute la vie devant eux. Interdiction de se rappeler qu'il suffit d'une seule balle pour l'abréger.

Sur son chemin, Émery croise l'un de ces soldats écrasés par le poids de son chagrin. Il est blotti contre un baril, le long d'une baraque d'acier. Comment le jeune Léveillée a-t-il fait pour le voir, malgré la noirceur d'encre où il s'est réfugié ? Peut-être ses yeux se sont-ils habitués à déceler les âmes en détresse…

— Salut, soldat, que fais-tu là ?

L'autre ne répond pas. Émery n'arrive pas à voir son visage et n'entend que son souffle, saccadé. Il insiste.

— Laisse-moi tranquille.

— Hé ! Tu parles à un caporal.

— Oh! pardon, bredouille la silhouette.

Émery craque une allumette et éclaire un instant les traits du militaire, qui se détourne de la flamme.

— Mais tu pleures?

— Non, ment le jeune homme en s'essuyant les joues. Caporal, vous croyez que c'est pour bientôt?

— Le débarquement? D'ici une semaine, déclare Émery. Pourquoi n'es-tu pas au lit?

Après une longue hésitation, le soldat inconnu parvient à articuler:

— J'ai peur. Je sens que je n'y arriverai pas. Que je ne pourrai pas embarquer sur les barges. Que je ne saurai pas tirer. Que je serai le premier à être abattu…

Émery le voit trembler, tenter de freiner ses sanglots, de ravaler sa peine pour laisser sortir cette phrase de détresse. Que répondre?

— Tu es loin d'être le seul à éprouver ce sentiment, fait-il enfin, l'air grave. Nous avons tous peur, et c'est normal. Mais laisseras-tu cette peur s'emparer de toi? Les soldats allemands aussi sont terrifiés. Imagine: ils savent que nous sommes prêts et qu'eux ne le seront pas à temps.

Étonnamment, le garçon essuie ses yeux et le remercie. Puis, il se lève et se dirige vers la baraque en marchant, les épaules voûtées. Émery le regarde s'en aller, surpris. Son discours n'avait aucune logique. Ce n'était qu'un élan émotif, mais ces émotions ont apparemment suffi à redonner courage à un homme sans doute plus vieux que lui. Quelle étrange chose que la guerre ! Le jeune Léveillée se dit que jamais personne ne le croira si, un jour, il revient vivant de ce carnage pour raconter ces anecdotes.

**

La Nissen Hut où loge Émery est propre et bien rangée. Un sac, plus lourd qu'à l'habitude, prêt pour le grand jour, le dévisage au pied du lit. Le caporal l'enjambe, puis se laisse tomber, las, sur son matelas. Sous le toit de tôle, la pièce est humide, inconfortable. Émery s'arrache à sa chemise, qu'il balance avec mollesse sur la chaise, puis il enfouit son visage au creux de ses mains. Le lendemain viendra rapidement, et bientôt, le régiment et lui prendront la destination des zones de classement. C'est là qu'ils embarqueront à bord des navires sur lesquels on les fera patienter jusqu'à ce que le commandant suprême des forces alliées, le général américain Dwight Eisenhower, donne le signal de départ en direction des côtes françaises. Mais quel sera donc ce jour *J*? Cette heure *H*?

Émery soupire, s'efforçant de ne pas penser aux risques qui l'attendent de l'autre côté de la Manche. Soudain, quelqu'un frappe à la porte et l'ouvre sans attendre de réponse. C'est Zéphir. Sous ses sourcils touffus, il masque mal l'inquiétude que tous ressentent.

— Ouf! Tu ne dors pas, dit-il. Il faut que tu m'aides. Je veux écrire une lettre à mes parents, au cas où il m'arriverait malheur. Enfin… Tu comprends ce que je veux dire. Mais je manque de mots. Tu ne pourrais pas m'aider à rendre ça moins tragique?

***

Soixante-douze heures ont passé. Le jour de l'embarquement est enfin arrivé. Le régiment est regroupé sur le port de Southampton. Des milliers d'habits verts déambulent sur les docks, créant une véritable mer humaine, une marée militaire sans précédent. En files indiennes, les soldats chargés comme des mules, croulant sous leur équipement et leur uniforme réglementaire, mais aussi sous une ceinture de sauvetage, une dague, un fusil emballé dans du plastique et des rations d'urgence, patientent sous un soleil trop généreux. Ils escaladent ensuite la passerelle qui les mène à un navire qu'on nomme *Landing Ship Infantry*. Des dizaines d'embarcations semblables sont amarrées au port. Émery, debout au pied de la passerelle, s'assure que les opérations se déroulent avec diligence, donnant une tape sur l'épaule de l'un, lançant une blague à un autre. Il est primordial de détendre l'atmosphère.

Soudain, il entend son nom retentir dans la cohue du port. L'estafette qui l'interpelle est un petit soldat chétif dont la tête arrive à l'épaule de la plupart des Chauds. Sa main brandit une enveloppe et émerge de la foule comme le bras d'un baigneur en détresse au cœur d'une mer instable.

— Caporal Léveillée ! Enfin, je vous trouve. J'ai eu peur de ne pas…

— Que se passe-t-il ? demande Émery, que le temps presse de retourner à ses hommes.

— Une missive, un document du SOE. On m'a dit de vous l'apporter d'urgence, mais dans ce port, il y a tant de monde !

Le visage d'Émery se fige. Cette lettre, il ne l'attendait plus, et voilà qu'à quelques heures d'aller au front, à quelques minutes de quitter l'Angleterre, à quelques instants de remettre sa vie entre les mains du destin, elle se retrouve en sa possession. Il remercie l'estafette et déchire le rabat de l'enveloppe.

C'est une lettre d'Émile Cardinal !

Ses yeux fixent les mots écrits à la main avec empressement, alors qu'il est bousculé par les soldats qui grimpent à bord en lui lançant des plaisanteries au passage :

— Eh, caporal, ce n'est plus le temps de lire des lettres d'amour !

Il ne les entend pas. Il ne réalise même pas qu'il sourit à pleines dents en apprenant que la présence du *Pilot Officier* Henri Léveillée a été signalée dans un réseau de la Résistance belge et qu'il est passé par Paris en avril dernier.

Henri est vivant ! Il rôde dans l'une des centaines de villes qui attendent Émery, parmi des milliers de maisons, au travers d'une foule de millions de citoyens espérant la Libération.

Et celle-ci approche.

Le caporal Émery Léveillée enfouit la lettre dans une poche de son manteau et regarde autour de lui. Le dernier soldat de sa compagnie vient de poser le pied sur le *Lady of Mann*. Le temps est venu pour lui de dire adieu au sol britannique. Ses lourdes bottes de cuir cognent à leur tour sur la passerelle, alors qu'il rejoint les autres. Bientôt, il disparaît dans la foule fébrile des soldats qui s'en vont en guerre.

Émery le fait sans appréhension, sous-estimant, comme la plupart de ces jeunes hommes, l'impitoyable enfer vers lequel se dirigera bientôt le navire appareillé.

Épilogue

Eugénie

Caen, France – mars 2015

Eugénie vient d'entendre la cloche sonner et remonte à la surface de ses pensées. Elle se trouve dans une classe du lycée où elle participe à un échange étudiant entre la France et le Canada. C'est la deuxième fois qu'elle assiste au cours d'histoire depuis son arrivée. Son enseignant, Christophe, a écrit en gros, au tableau, les mots « Devoir de mémoire ». Eugénie se demande bien quelle technique de mémorisation peut lui apprendre un prof d'histoire, et quel devoir il imposera à cette classe d'adolescents français. Mais l'un de ces derniers semble déjà savoir de quoi il veut parler. Et la Québécoise comprend vite qu'il ne s'agit pas d'un exercice à faire à la maison.

— Oh non ! Monsieur ! Vous n'allez pas encore nous parler des vétérans de la Seconde

Guerre mondiale ! C'est du passé, tout cela. La guerre, c'est une affaire de vieux.

Murmure dans la classe. Tout le monde ne semble pas partager le point de vue de Corentin, le protestataire, mais personne ne peut le contredire entièrement non plus. La Seconde Guerre mondiale est effectivement terminée depuis longtemps. Ses victimes reposent à l'ombre de pierres tombales depuis plusieurs dizaines d'années. Les quelques vétérans que Corentin a vus à la télévision étaient tous si vieux qu'ils tremblaient au garde-à-vous lors des cérémonies lourdes en émotions. Quel jeune, d'ailleurs, s'intéresse à la guerre aujourd'hui ? À ce « Devoir de mémoire », dont Christophe veut tant parler ? L'enseignant s'appuie sur le coin de sa table.

— Corentin, j'ai envie de te répondre par une question, annonce-t-il. Ma question ne s'adresse pas qu'à toi, mais à nous tous, dans cette classe. La voici. Mérite-t-on que quelqu'un meure pour nous ?

Un temps de silence s'impose. Dans la classe, personne ne regarde les autres, sinon Eugénie qui, encore fraîchement arrivée en France, découvre plus encore qu'elle n'apprend. Une fille rousse – Eugénie ne connaît pas encore le nom de tous ses camarades – se lance :

— Bien sûr que non ! Je ne peux pas demander à quelqu'un de perdre sa vie pour moi.

— Et je ne vois pas pourquoi je me tuerais pour l'un d'entre nous ! Même pour Corentin ! déclare un autre élève pour badiner.

— Je pense comme vous, précise Christophe. Et toi, Corentin, quelqu'un pourrait-il sacrifier sa vie pour toi ? Tes parents ? Ta petite amie ?

L'interpellé fronce les sourcils. Il ne dit rien. Il réfléchit.

— Mais non ! finit-il par s'exclamer. Je ne demanderai pas à quelqu'un de se tuer, voyons ! Pas plus à ma *meuf* qu'à mon vieux !

— Et si l'un d'eux te proposait de le faire ? Que lui dirais-tu ? ajoute Christophe.

— Pas question, hé ! rétorque Corentin.

— D'accord. On s'entend là-dessus. Maintenant, posons-nous une deuxième question. Presque pareille. Méritons-nous que quelqu'un soit mort pour nous ?

— Non plus ! affirme un grand noiraud dans le fond de la classe.

— Mon Dieu! laisse échapper la rousse, soudainement bouleversée.

— Pourquoi sembles-tu si catastrophée? demande Christophe.

— Mais parce que, si j'ai bien compris votre question, il est trop tard. Quelqu'un serait mort pour nous sans que nous puissions lui dire de ne pas faire ce sacrifice.

— Exactement! ajoute l'enseignant, le visage sérieux.

Au centre de la classe, Corentin se frotte le front, visiblement perturbé. Eugénie, elle, se demande vers où Christophe veut orienter la pensée de ses élèves. Derrière elle, une fille aux cheveux courts réagit:

— C'est terrible, votre question. Si quelqu'un est déjà mort pour moi, j'ai une dette, mais je ne pourrai jamais lui rendre la pareille. D'aucune façon. Ma dette, je la dois à... À qui?

— Tu te poses une question pertinente, Delphine. Comment remercier quelqu'un qui est mort pour nous?

Le professeur laisse planer sa question un instant avant d'enchaîner:

— Durant la Seconde Guerre mondiale, ils sont des milliers d'Anglais, d'Américains et de Canadiens à être venus se frotter aux tirs meurtriers des Allemands. Prenons les Canadiens… Que gagnaient-ils à libérer la France occupée par les nazis?

Personne ne répond. Eugénie, elle, ne voit plus ce qui se passe autour d'elle. Devant ses yeux défilent des images qu'elle a vues dans ses cours d'histoire précédents. Des photos et des films de soldats qui courent, qui trébuchent, qui tombent sur des plages encombrées de barbelés et de pieux, mais aussi d'hommes allongés, morts. Lorsqu'elle reprend contact avec la réalité de cette classe de Caen, elle réalise que tous l'observent.

— Ne dévisagez pas Eugénie ainsi. Ce n'est pas elle qui a risqué sa vie sur une plage de Normandie le six juin 1944. Pourtant, sans l'aide du Canada, nul ne sait si, au cours de cette année ou dans celle qui l'a suivie, nous aurions pu nous libérer du régime d'Hitler. Que leur devons-nous, à ces volontaires morts à la guerre, sinon de se souvenir de leur sacrifice? Quelqu'un a écrit, un jour, qu'oublier un soldat tombé au combat, c'est le faire mourir une deuxième fois…

Le silence qui perdure dans la classe de Christophe est gorgé de réflexions.

Dans la tête de la rousse apparaît le portrait d'un voisin de sa grand-mère. Il était résistant et il est mort sur une place publique, tué par des soldats SS parce qu'il avait distribué un journal clandestin dénonçant l'Occupation. Les pensées de la blonde vont vers son arrière-grand-mère qui racontait toujours qu'entre 1940 et 1944, elle devait ramasser les restes des repas des soldats allemands pour nourrir son bébé.

Corentin, lui, se rappelle son grand-oncle qui disait avoir été forcé de travailler dans des usines d'armements nazies. Cette époque devait être terrible. Qui sait si, en oubliant ce qui est arrivé, on ne risque pas de reproduire les erreurs du passé? Après tout, ce qu'ont vécu ces gens est riche d'enseignement sur la nature humaine et le prix de la liberté. Pensif, le garçon tourne la tête dans toutes les directions puis, trouvant enfin le regard d'Eugénie, il bredouille :

— Merci.

Table des matières

Nicolas Paquin

Nicolas Paquin a publié ses premiers écrits sous la forme de courts récits dans *Les Entretemps* de 1994 et 1995. Il lance en 2010 les romans *De Vice ou de mort* et *Banlieue blanche* aux Éditions PopFiction.

De 2009 à 2012, il s'occupe du blogue *Ma Ville est jeune*. Durant trois ans, il signe une chronique hebdomadaire pour le journal Le Canada Français. En 2010, il était récipiendaire du premier prix pour la légende *Mathias et Félicité* rédigée dans le cadre du concours *Un Pont, une légende* organisé par Parcs Canada. Auteur de *Atours & Alentours*, paru en 2012 chez Broquet, et récipiendaire d'une bourse du Conseil des Arts et des Lettres du Québec pour le recueil de légendes urbaines *Ce qu'il ne faut pas dire*, il lance en 2013 son premier roman ados/adultes, *Piégés* aux Éditions du Phoenix.

Nicolas Paquin est diplômé en Études françaises, en Relations industrielles et en Enseignement du français au secondaire.

Site Internet : **www.nicolaspaquin.com**

Achevé d'imprimer
en septembre deux mille quinze, sur les presses
de l'imprimerie Gauvin, Gatineau, Québec